新潮文庫

パイロット・イン・コマンド

内田幹樹著

パイロット・イン・コマンド　目　次

パイロット・イン・コマンド

大空の友へ――

主要登場人物

砧《きぬた》道男…………機長
朝霧誠……………機長
江波順一…………副操縦士

山本玲衣子《れいこ》………チーフパーサー（ＣＰ）、Ａキャビン担当
浅井夏子…………パーサー、Ｅキャビン担当
吉田淳子…………パーサー、Ｃキャビン担当
一ノ瀬かおり……パーサー、Ａキャビン担当、
アッパーキャビン兼務
鈴木ひとみ………アッパーキャビン担当
天野照子…………Ｂキャビン担当
松本みどり………Ｃキャビン担当
早川さなえ………Ｄキャビン担当
山崎リサ…………Ｄキャビン担当
青木佐知子………Ｅキャビン担当
小泉由香…………Ｅキャビン担当

新庄恒春《つねはる》…………護送される特殊旅客、“タナカ”
ホセ・サントス…“組織”のメンバー

プロローグ

夜が長い冬のヨーロッパでは、歴史の舞台となった建造物が日暮れとともにライトアップされ、人々にその国の過去を語り始める。凱旋門《がいせんもん》、ブランデンブルク門、コロセウム、ビッグ・ベンなどは有名だが、ほかにも、昼間は気にもとめなかった街なかの建物が、夜になると照明を浴びて美しく浮かび上がり、驚かされることがある。

夕暮れのヒースロー空港を西へ向かって離陸する。前方にライトアップされたウインザー城が現れる。騒音規制のための右旋回に入るので、城はすぐ後ろへと消えてしまうが、機首を東北東へ向けると、上空までを明るく染めたロンドン市街の広大な光が見えてくる。無数の灯が海に注ぐ川のように郊外から集まっている。ロンドンの灯りはやわらかいオレンジ色で、どこかもの哀《がな》しい。点在する公園の緑が、光の密度を薄くするためだろうか。街の中を大きく曲がって流れるテムズ河は、光の海に横たわる暗い帯のようだ。名残を惜しむ乗客がライトアップされたタワーブリッジを見つける頃、機は右翼を上げて英国に別れを告げ、東京への針路をとる。

航空路《エアウェイ》の輻輳《ふくそう》する北海に入ると、飛び交う航空機の光が絶え間ない。衝突防止灯の赤や、白色ストロボの閃光《せんこう》が接近速度一八〇〇キロですれ違う。

ほどなく右下にオランダのアムステルダムが見えてくる。海に面した街から放射線状に広がる光の列は、ヨーロッパの内陸へ向かって伸びている。冷たく澄んだ空気と上空に流れる風が、街の光をきらきらと瞬《またた》かせる。それがブリリアント・カットの輝きにも見えてくる。ダイヤモンドの街の光だからだろう。

離陸一時間後、デンマークを過ぎてバルト海上空に差しかかる頃の客室は、NHKやCNNのニュースビデオが終わり、食事《ミール》サービスが始まったか、その最中だ。乗客が窓の外を気にする時間帯でもないし、キャビンの明るい照明に慣れた目には、何も捉《とら》えられないだろう。

バルト海が終わりに近づくと、スカンジナビア半島にヘルシンキの滲《にじ》んだオレンジ色の光が見えはじめる。真っ白な雪に覆《おお》われているため、ひとつひとつの光が雪に反射してオレンジに映るのかもしれない。

やがて航路の左前方、闇《やみ》の中にサンクト・ペテルブルクがぼんやりと浮かび上がってくる。ロマノフ王朝の舞台であり、ロシア革命発祥の街は、栄光と悲惨の歴史を併せ持つ。くすんだオレンジ色の光が密集している市街地は、河と運河で囲まれているためだろうか、光の縁取りが直線的なのが目にとまる。その形は遥《はる》かバルト海を越え、遠くヨーロッパの中心へ向いたロマノフ王朝の王冠を思わせる。ヨーロッパの王たらんと欲し、叶《かな》わなかったピョートルを慰めているようにも見える。

ヨーロッパを離れるとオレンジ色の光は少なくなる。日本やアメリカの都市などは、明るい白色の街灯が主だ。サンクト・ペテルブルクは、ヨーロッパはここで終わりだと言わんばかりに、オレンジ色の光を派手に見せてくれる。

ここから七〇〇〇キロのシベリアが始まる。空気中の水分さえも凍らせてしまう厳冬の地。吹雪の地表に道はなく、氷の川に橋はない。

見えるのは星、星、星。無数の星たちは北極星の下で星座を結び、観《み》る者にギリシャ神話を蘇《よみが》えらせる。彼らの舞台を、無遠慮に横切るいたずら者の流れ星は、後を絶たない。キャビンではそろそろ食事も終わり、乗客たちは映画を楽しんでいるはずだ。

高度一万メートル、外気温がマイナス七〇度になろうとする頃、宇宙と地上の接点に変化が起きる。北極の空が地球の円《まる》みに沿ってぼんやりしたグレーに染まる。そして霧雨でも降るように、たくさんの光の針が宇宙から……静かに、静かに降りてくる。それはゆっくりと濃淡をつけて広がり、無言で舞いながら繊細な姿を見せ始める。舞台の上手《かみて》で光っていたオーロラがいつの間にか正面にも現れ、二人でパ・ド・ドゥを踊り出す。神々の放つ光の針は、やがて右にも左にも、上にも下にも顔を出し、極寒の夜空にクライマックスをむかえる。

オーロラたちが舞台から立ち去る頃、キャビンでは映画に飽きた乗客が眠りにつく。機が夜明けに近づくと、暗黒の中に地平線と空の境が見えてくる。シベリアの地は雪と氷だけで構成され、動くものが何もない。呼吸さえも止まるのではと思えるほど変化がない。はるか前方を飛ぶ他機の飛行雲がゆっくりと風に流されていく。その空の色は刻一刻と変わり続ける。夜から朝へ、名前のつけられていない色が次々と現れて、たまに名前のある色が過ぎていく。

東の空がひときわ明るくなると、次を予告するように遠方の飛行雲が金色に染まる。やがて地平線から一筋の黄金の輝きが目を刺し、ニッポンインターの二〇二便の夜間飛行はシベリア上空で終わる。

三週間前

プーシキン通りを東に、ストレシニコフ小路を過ぎると右手に古いビルがある。その三階の執務室のデスクで、男は電話を待っていた。窓を背にしているのでその表情は読みとれない。広いデスクの上には電話機と銀のペン皿だけが置かれ、鋭く削られた鉛筆が三本、先をそろえて並べられている。

これは客に安らぎを与えないための演出であった。ぶ厚い絨毯《じゅうたん》も相手を気後れさせる効果を狙《ねら》ったものである。デスクは、ドアから客を六歩以上歩かせるように置かれている。これも相手に対して精神的に優位に立とうという、使い古されたナチの手法であった。彼はそのような部屋で長年にわたって仕事をしてきた。

一九九一年に国家保安委員会《KGB》が対外情報局など四つに分割縮小され、退官を余儀なくされたときに彼はここへ招かれ、ジェルジンスキー広場から移ってきた。いまは情報局長官の私設秘書として、あらゆる相談事の処理を仕事としている。

待ちくたびれた男は、秘書に三杯目の紅茶を入れさせた。先ほど電話がかかってきたときはあいにく来客中で、詳しくは聞けなかったが、〝タナカ〟が昨日ロンドンで捕まったということだった。タナカの容疑は偽造パスポートの所持で、遅くとも三週間以内に本国へ移送されるらしい。

タナカから日本の企業を紹介されたのは、雪がちらつき始めた去年の秋口だった。シベリア開発にからむパイプラインの許認可の件で、成功報酬として次期大統領選の選挙資金に米ドルで二〇〇万ドル出すと彼は言った。現閣僚で八人の副首相の一人であり、安全保障会議の主要メンバーである雇い主、ニコライ・ミハイロヴィッチ・プロトニコフ情報局長官は、その話に興味を示し、すんなり受け入れた。四月はじめに半額の一〇〇万ドルが届けられていた。

三〇分後にかけ直すようにと伝えたが、すでにその時点で彼の考えは固まっていた。電話のベルが鳴った。秘書が、英国からだと伝えた。男の掌に受話器がすっぽり収まる。

「ああ、私だ」

〈お考えはお決まりになりましたか?〉

「ミスター・タナカは本国へ移送されるんだな」

〈はい《ダー》。ほぼ確実でしょう〉

「ということは、わが国の上空を八時間以上も飛ぶわけか」

〈はい〉

「シベリアか、日本海のわが国領海内だと都合がいい」

〈わかりました〉

「ともかく閣下のご迷惑にならんように」

〈お任せ下さい、大佐《バルコヴニク》〉

元大佐は静かに受話器を置き、盗聴防止装置のスイッチを切った。紅茶を一口飲むとマルボロ・ライトに火をつける。政治献金は表向きの問題だ。もちろんあの件については、長官は何も知らない。

ロシアで行方不明とされている核のうち、戦術核弾頭三発分の核爆発装置が、起爆装置とともにいまだに元大佐のコントロール下にあった。これらは冷戦時代の、戦略《S》兵器削減《TART》条約に基づき廃棄された弾頭から取り出されたもので、リトアニアから輸送する際に伝票を操作して、部下が管理する国境警備隊の兵器廠《しょう》に送り込んだのだった。核物質は経年変化し維持管理が大変な割には、比較的簡単に手に入る。しかし核爆発装置は高度な技術がないと作ることは出来ない。

それこそが、祖国に三〇年以上も忠誠を誓い、アフガンでこの世の地獄を味わった元大佐の、仕返しだった。国家や党は、退職金もろくに払わずに自分をお払い箱にした。

しかし、九三年にドイツで摘発されたベリリウムの密輸が、内部の密告によったものであると知って以来、彼は組織の動きが信用できなくなっていた。

タナカが現れたのはその頃だった。彼の人脈は魅力的だった。パーティで何回か会い、需要があれば応じられると、冗談を交えてそれとなくタナカの反応をうかがってみたのだった。今回、奴《やつ》は具体的な話を持ち込んできた。ASEAN加盟を希望する某国が、この取引に興味を示したという。話はスムーズに進み、一ヶ月以内にモスクワで取引が行われる手はずになっていた。

タナカはその帰りに中南米をまわり、ロンドンで捕まってしまった。

私の運命をタナカの口先一つに預けることはできない。

人間というものがいかに簡単に口を割るかは、元KGBの大佐が、誰よりもよく知っているからだ。

電話のベルが鳴り響いている。

「いま何時だと思ってるんだ、このバカが《イホ・デ・プータ》！」

ホセ・サントスは枕元《まくらもと》のスタンドを点《つ》けると、時計をわしづかみにして時間を見た。

深夜の二時半だった。女がうるさそうにシーツを頭の上まで引き上げて寝返った。

　サントスは手を伸ばすと受話器をあげた。

「なんだ！　こんな夜中に」

〈タナカがロンドンで捕まったわ〉

「タナカが？　本当に間違いないのか」

　三日前、カリブ海が一望できる父親の農園でタナカと飲んだばかりだった。サントスは眠気がいっぺんに吹き飛んだ。

　タナカは二年前、ある日本企業に便宜をはかることで、米ドルで一〇〇万を出すという話を持ちかけてきた。

「奴の身柄はどうなる？」

　三週間以内に日本へ送還されるらしいわと相手は言った。しかし日本に連れていかれたら、もうサントスには手の打ちようがない。その前になんとかしなくては……。

　サントスが父親に隠れてコロンビアの麻薬組織《カリ・カルテル》に、生産したコカの葉を売ってすでに一〇年以上になる。しかし組織はいまだに麻薬の直接販売を許してはくれなかった。

　今年になってサントスは《カルテル》に内緒でアジア・ルートを開発した。サントスには金が必要だった。タナカはそれを見抜いているかのように近づいてきた。それがつきあいのきっかけだった。今回も同じような話で、仮契約と引き替えに前金として一〇万ドルを置いていった。

アジアには世界のヘロインの六割を生産していたゴールデン・トライアングルがあったが、麻薬王クン・サーがミャンマー政府の圧力から引退させられて以来、ケシの実の生産は激減した。そのシェアを中国、ラオス、イラン、パキスタンなどが争っており、現在はいわば混乱状態にある。陸続きのアジアの国々は地元の組織に利があるが、海を介した日本、フィリピン、インドネシア、オーストラリアなどは、こちらにも利がある。サントスは南米欧州間は《カリ・カルテル》をまねて、そこからアジアへは、大金をはたいて新しいルートを開発した。そのルートを使った麻薬取引はすでに何度か成功をおさめていた。今回の取引が終われば、横流しした物も流用した金も元通りに埋め合わせすることができるはずだった。来月にはタナカが紹介してくれた組織と、東京での話し合いが予定されている。

女がまぶしそうに目を開けた。

「なにかあったの?」

「まずいことになった。タナカが捕まった」

タナカの金と人脈は惜しいが、いま何かしゃべられたら経済相である父親の政治生命にも影響する。そしていまあの密輸ルートが発覚したら、金の出所はもちろん、横流しもバレる。《カルテル》は自分を葬る。

女の体が動いて、うんざりした顔がこちらを向いた。

「そんなの、殺《け》しちゃいなさいよ。もうあんた一人でできるわよ」

タナカの口をふさいでしまえば巨額の富が入り、二度と《カリ・カルテル》に頭を下げなくて済む。ホセ・サントスはすばやくプッシュボタンを押し、ベッドから指示を出すと、指をシーツの中の女の腰に戻した。

1 要注意旅客《トラブルパッセンジャー》

真っ暗な雲の中、デジタル・カラー・レーダーの画像がすうっと暗くなって消えた。急いで調整を試みるが画面には何も映らない。自分の指がスイッチの上をせわしく動きまわる。

その時、突き上げられるような鈍いショックとともに、機は時速九〇〇キロで雹《あられ》の中に突っ込んだ。雹がガラスに当たる騒音で、たちまちコクピットがいっぱいになる。一粒一粒が帯電しているので、ガラスに当たると静電気を放出する。窓ガラス全体が不気味に光り、周囲にはプラズマが青白く飛び交う。自然の力の前には、二五〇トンの機体も木の葉のように翻弄《ほんろう》され、なすすべもない。

「！」

閃光《せんこう》が目の前を走り、強烈な音が全身を震わせた。被雷したのだ。焦《こ》げくさい臭《にお》いが漂い、高周波の残響音で両耳がふさがれ、耳障《みみざわ》りだった騒音も聞こえなくなった。思わず指で耳を押さえる。

目もおかしい。いくら見開いても、閃光の残像が白い固まりとなって視野の真ん中に残り、計器を読むことすらできない。

わずかに視力の効く目の端で左席の機長を捉《とら》えようとする。

しかしそこには誰もいなかった。

「そんな馬鹿《ばか》な」

一瞬だったが頭に血が昇り、顔中がかっとなって思考が止まる。

興奮しちゃだめだ。

なんとか操縦桿《かん》を摑《つか》んで飛行機を立て直し、焦点の定まらない目で雲の中を探しまわる。ショルダーハーネスが伸びきるほど身を乗り出すと、左側に少し明るい部分を見つけた。

「あっちだ」

左に旋回させる。機はいきなり真夏の青空に飛び出した。今度は目を開けていられないほど眩《まぶ》しい。

ボーイング747－400《ダッシユよんひやく》型ジャンボ機はそのまま左に傾き続け、九〇度を超えて裏返しになりながら急降下に入った。操縦桿を力一杯引くがまったく動こうとしない。

――なぜだ。なぜなんだ！

猛烈な音と振動が襲ってきた。高速度失速に入った機体は、悲鳴のような空気の摩擦音を発しながら音速を超えた。それでもまだ加速は止まらず、オーバースピード警報が鳴り続ける。

このままでは空中分解する。スピードブレーキを早く引かなくては。

だがG（重力加速度）によって押さえつけられた手は、じれったいほどゆっくりとしか動かない。

早くスピードブレーキを！

やっとの思いでレバーを握ることができた。思いきり引く。一瞬バフェット（気流の剝離《はくり》による振動）を感じたが、すこんと抜けて手応《てごた》えがなくなった。

「なぜ。なぜ」

もう一度やり直す。もう一度――。いくらやってもまったく反応がない。それでも必死にスピードブレーキを引く。

頭の上に海面がぐんぐんと近づいてくる。

「もうだめだ。ダメ。ダメだ。ああっ」

江波順一《えなみじゅんいち》はベッドの上に跳び上がるように目が覚めた。静まり返る暗闇《くらやみ》の中で、自分の荒い息づかいと脈うつ心臓の音だけが聞こえてくる。

カーテンを通してぼんやりと明るい窓を左側に見つけた。雨の当たる音が聞こえてくる。

左に窓？　俺は今どこにいる？　そうだロンドンだ。コプソン・タラ・ホテルだ。

体を動かした拍子に冷や汗を首の周りに感じた。パイロットになって以来、墜落の夢ばかり見る。それ以外、見た記憶はなかった。

ため息をついてベッドサイドのスタンドを点《つ》ける。目を刺す光を避けながら腕時計を見ると午前四時、日本時間ではちょうど正午にあたる。そのまま目をつぶって寝ようとしたが、やがてあきらめてぼんやり明るい窓際《まどぎわ》まで行き、カーテンを少し開け外をのぞいた。一一階の窓の下には、オレンジ色の街灯を受けた煉瓦《れんが》作りの家が並び、雨に濡《ぬ》れた道路が黒く光っている。遠くには背の高いビルがかすんだシルエットを作っていた。

二日経《た》っても体はまだ時差の中にいて、胃袋は昼食を待っている。江波は機内食のリンゴをバッグから取り出し、まだ眠っているロンドンを眺めながらかじり始めた。

浅井《あさい》夏子《なつこ》の泊まり《ステイ》の朝は、いつも近くの公園でのジョギングで始まる。すでに雨はやんでいたが、いつまた降り出してもおかしくないような、空だった。道路はまだ濡れていた。ホテルを出たところで、ジョギング・シューズの紐《ひも》を結び直しながら今日のコースを決める。ケンジントン・ガーデンを横切ってハイド・パークへ行き、サーペンタイン池をまわる。ケンジントン・ガーデンまでは歩いていきたいが、パーカーにスパッツというスタイルでは走らないと格好がつかない。夏子は深呼吸と軽い準備運動のあと、走りだした。

角を二つ曲がったところで、新鮮でひんやりした風が頬に触れた。雑踏から離れて最初に感じる自然、その瞬間が夏子は好きだった。昨日は雨で走れなかったので、今朝は特にそう感じられるのかもしれない。やがて古い石造りの教会の陰から公園の樹々《きぎ》が見えてきた。

ケンジントン・ガーデンはまだうっすら残る朝靄《あさもや》の中にあって、英国王室の紋章がついたケンジントン宮殿《パレス》の門扉《もんぴ》の飾りが、もれてくる朝日を受けて金色に輝き始めた。犬を連れた年輩の婦人がその前をゆっくりと散歩をしている。黒のプードル犬は尾を振りながらあたりを走りまわり、芝に翼を休めている鳩の群を飛び立たせていた。

広い芝生を過ぎると放射状に植えられた大きな樹々の間を抜ける小径《こみち》に入る。大地を駆ける音にかぶさるように、小鳥たちのさえずりがあちこちから聞こえてきた。

所々に置かれたベンチにはまだ人影もなく、雨を含んだまましっとりとしている。すれ違うジョガーと軽く挨拶《あいさつ》を交わす。

このあとチーフパーサーの山本玲衣子《やまもとれいこ》と朝食をとることになっている。昨夜、鈴木《すずき》ひとみから外泊するとの連絡を受けたからだ。外泊先がロンドン市内であり、電話番号も知らせてきたことで問題はないだろうが、配属になったばかりなのに単独での行動が目立ちすぎる。「協調性に乏しい」と訓練記録に記されている彼女に、この先トラブルがなければよいが。

山本チーフパーサーと一度そのことについて話しておきたくて、夏子のほうから時間を作ってもらったのだった。

隣接するハイド・パークに入ると、何人かのグループが乗馬を楽しんでいた。母娘《おやこ》だろうか、乗馬帽から垂れた金髪が軽早足のリズムに揺れている。ウィークデイのこの時間はやはり女性が多い。青葉に囲まれた乗馬道を過ぎると、広い芝生と池が見えてきた。小鳥の呼び交わす声は遠ざかり、水鳥の大きな羽音と低い鳴き声にかわる。雨上がりの緑と初夏の水辺。夏子はこの前来たときよりも新鮮に感じた。背中が汗ばんでくる。パーカーを脱ぎ、Tシャツ一枚になった。

午後の迎え《ピックアップ》が来るまでに少し睡眠を取っておきたいし、朝食のあと近くのスーパーに二、三日分の食料を買いにも行きたい。値段が日本のほぼ半額だから、そのほかにも海塩とインドの紅茶、それに安いのがあればポルチーニ茸《だけ》も。

ひんやりとした風は汗ばんだ体を撫《な》で、周囲の緑をざわめかせた。濡れた芝生から小さなリスが大きな樫《かし》の木に駆け上がり、走り去る夏子を口を動かしながら見送っていた。

歩道の上まで伸びた枝の下で、白髪の紳士が公衆電話を使っていた。空いた指先でせわしく電話機をたたく彼の様子から、かなりイライラしているのがうかがえた。

「――ですから大佐《バルコヴニク》、サントス経済相は八三年のグレナダ侵攻時に、カリブ諸国の情報を流してくれた人物です。彼は優秀な男で、マリノフスキイ機甲大学を卒業しており、ホセはその息子です。一週間ほど前にも申し上げましたが、先方が直接お話ししたいと言っております。移送が急遽《きゅうきょ》今日と決まったもので、すぐに解決しておかなければと思いまして……」

電話がよく聞こえないのか、長身をかがめて片方の耳を手でふさいでいる。

「はい、ホセ・サントスは責任を持つと言っています。その代わり避難民の受け入れを頼んできています。日系人で、南米まで帰るにはちょっと遠いので、ほとぼりの冷めるまでモスクワで面倒を見てほしいと……、よろしいですか。南米のコロンビアとモスクワとは時差が八時間あります」

彼は腕時計を見るために受話器を右手に持ち替えた。

「先方はいま朝五時前です。一時間後にそちらに電話させます。昼食のお邪魔をしてすみませんでした」

計画を変更させることでホセ・サントスから入る二万ドルの現金のことを、彼は大佐に知らせなかった。紳士は白いハンカチで額の汗を拭《ふ》くと、道路を渡って向かいのホテルに消えた。

山本玲衣子は薄明かりの中で〝彼〟のことを想《おも》っていた。まどろむような安らぎの中で、彼を好きなだけ感じることができるこの時間が、玲衣子は好きだった。その笑顔や男らしい声、困ると耳の後ろを掻《か》く癖、自分に触れるときの彼の微妙な指の動き。二人だけの世界をさまよいながら時が過ぎる。けれどもそれは右隣に伸ばした手が、冷たいシーツしか見つけられないことで消えていく。

玲衣子は上半身をベッドの上に起こした。以前は何か着て寝ていたが、いつの間にか裸で寝るようになってしまった。一年の三分の一をホテルで過ごす生活には、洗濯物は少ないほうが楽だからだ。

これからシャワーを浴びて髪を洗って、それでも夏子との朝食までには充分時間がある。

勢いよく出る湯を充分浴びてから石鹼《せっけん》を取った。自分でも色素が少ないのではと思うほど玲衣子の肌は白くてやわらかい。強い陽ざしにあたると、すぐに赤く腫《は》れ、さらに蕁麻疹《じんましん》が出ることもある。髪は少し茶色がかっていて体毛も薄く、脇《わき》の手入れを必要としないのは便利だった。

あの頃は彼がいつも一緒に入って来て、玲衣子のいやがる躰《からだ》の隅ずみまでわざと丹念に洗ったり、はずかしがる玲衣子に、自分を何回も気が済むまで洗わせたりして楽しんでいた。肌に残った泡を流しながら玲衣子はふとそう思った。

彼の言葉を信じてここまできたが、心の隅にある不安と孤独は決して消えることはなかった。

もうこの状態から抜け出したい。安住の場所が欲しい。

商社マンの彼は八歳上の四五歳。しかし彼に妻子がいることだけは、まだ誰にも話したことがない。今日も成田に着いてまず最初にすることは彼からの留守録を探すことだった。

玲衣子は肌が弱いのでほとんど化粧をしない。化粧品も長持ちしすぎて、最後まで使い切ったことがない。香水も分からない程度に薄く済ませている。

ＣＡ（キャビン・アテンダント）、かつてスチュワーデスと呼ばれた彼女たちは、配属になって半年間で肌ががさがさになってしまう。湿気のまったくない機内での仕事が、まず肌を壊す。半年を過ぎると徐々に耐性がついてゆくが、肌が荒れていたときに、それを隠す目的で使った化粧品のためか、あるいは仕事のストレスのせいなのか、今度はシミや吹出物に悩まされることになる。二年目にはだいたい安定してきて、顔つきも仕草も、そして化粧もきまってくる。三年目になりローレックスの時計を身につけるようになると、飛行場で私服でいても、あるいはどこか街角で見かけられても、「どこのデス（スチュワーデス）？」と業界の人間には識別されてしまうほどの雰囲気を身にまとうようになる。その先は年々化粧が濃くなっていく。そして会社を辞めたあと、少なくとも三歳は若返る。これが玲衣子の見てきた彼女たちの個人史だった。

下着のまま化粧をしていると、ドアの下に挟まった紙が鏡ごしに目に入った。成田からのＦＡＸだった。

何か問題でも起きたの？

ＦＡＸ用紙を手に取り、玲衣子はクロゼットに向かった。

《マフィン・ハウス》は地下鉄ハイ・ストリート・ケンジントン駅の、表通りから一本入った角に面している。白地に緑のストライプの日除《よ》けが窓の上にかかり、入り口の上には細い金色の飾り文字で書かれた小さな看板が、旗のように掲げられている。ホテルから近いうえに、ここの焼きたて自家製マフィンの朝食は仲間うちで人気があった。夏子は店内を通り抜け、裏庭のテラスに席をとった。ジョギングで汗ばんだ体には外のほうが気持ちいい。小さく仕切られた窓枠の外側は濃い緑に塗られており、白いレースのカーテンが映える。奥様のグループがこれから買い物にでも行くのだろうか、友達が店に入って来るたびに立ち上がってフランス式の挨拶を交わしている。隅で新聞を読んでいるのはリタイアした紳士だろう、パイプタバコの懐《なつ》かしい香りが外まで漂ってくる。

しばらくするとベージュのワンピースを着た玲衣子が入ってきた。

「待った？　遅くなってごめんなさい。あら、もう走ったの？」

「おはようございます。いま来たばかりなんです。まだ何も注文してないの」

玲衣子は向かい側に座ると、テーブルにFAX用紙を出した。

「今、出がけに成田からこれが届いたのよ、先に目を通してくれる？」

店の娘が注文を取りに来た。赤毛でかわいらしいソバカスが頬の上に薄くでている。カウンターの後ろでせっせと働いているのは彼女の母親だろう。

玲衣子はメニューを、夏子はＦＡＸを広げた。

再び眠りから現実に引き戻された江波は、ベッドサイドの時計にちらっと目を向けた。午前一〇時半だった。カーテンの隙間《すきま》から薄陽に輝く窓ガラスの雨粒が見える。ベッドの中からぼんやりと眺めていたが、やがて起き上がるとカーテンを開け、冷蔵庫からエビアンのペットボトルを取り出し、飲みながらバスルームへ向かった。

シャワーから出たときにはすでに一一時をまわっていた。ホテルの部屋で一人の食事は味気ないので嫌いだったが、今のうちに食べておかないと、この先八時間は何も食べられない可能性がある。

ルームサービスのサンドイッチをかじりながら、ルートに目を通し始めた。しかし機長がＣＡたちから〝紅《くれない》のタヌキ〟とか〝タヌキ〟と呼ばれている砧道男《きぬたみちお》機長だと思うと、地図《チャート》に集中できない。裏表がはっきりしているからやりやすいと言う仲間もいるが、江波は苦手だった。フライト中の指示のすべてがせわしなくて、疲れてしまう。

少しでも出世すると、どうしてああも変わってしまうんだろう。

そんなことを考えながら予習を終えた。

午後三時、空港へ向かうクルーバスの前方の席にコクピット・クルーが三人、その後ろ数列を空けて一一人のCAたちが座っていた。お互い言葉を交わすことはまずない。それは社長が代わってすぐの頃だったから四年ほど前になる。CAが機長の指揮下に入るのは機長のブリーフィングを受ける時からであって、それまでCAは自分たちの部下であると客室部の誰かが言い出して、このようになったらしい。

制服姿の玲衣子が、後ろから江波にそっと小声で話しかけてきた。

「昨日はごちそうさま」

バスの中で話しかけられるとは思ってもみなかった江波は、驚いて振り返った。

「いや、どうも」

江波は立ち上がると二列後ろを指さした。玲衣子は目でうなずくとその席に座り、江波もそこに移った。

「急に誘ったりしてゴメン、迷惑じゃなかったかな。でも久しぶりの、なんて言うのかな、会話を楽しんだっていう食事だったたな。よく眠れた？」

「ええ。ごめんなさいね、私の悩みごとばかり聞いていただいて。けれどとっても楽しいステイになったわ」

江波はもう一度玲衣子を食事に誘ってよいものか迷った。泊まり先で彼女が食事につき合ってくれたからといって、東京でもそうしてくれるとは限らない。自分だけが空まわりして、子供のように思われるのがいやだったからだ。江波は二人になったときの玲衣子の雰囲気に惹《ひ》かれた。そこには制服を着た彼女からは想像もできない素朴さと、あきらめにも似た寂しさがあった。三年前に独り身になって以来の自分の心と、どこか共鳴しているようにも思えた。

昨夜、〝彼〟の話を聞いたばかりだった。彼は社会的な地位も高く、魅力的な男であるらしい。とても自分のかなう相手ではない。それに、江波は思った。CAがパイロットと食事に行くことを、快く思わない人たちが社内には多い。客室部に知れると玲衣子に迷惑がかかる。

考えているうちに、言葉のほうが少しずつ口から出ていた。

「あのぅ、今度また食事、つき合ってくれるかな?」

「ええ、いいわよ」

玲衣子の優しい眼差《まなざ》しが江波にはうれしかった。

「江波さん、ちょっと問題があるの。今朝東京からFAXが入って」

玲衣子はバッグから取り出しながら続けた。

「問題のありそうなお客さんが乗るらしいの。ブリーフィングのときに皆には言いますけど、これ、一応目を通していただけます？」

客室部からの連絡で、〝搭乗者について〟として、要注意旅客《トラブルパッセンジャー》との経緯が書かれていた。

一回目のトラブルは昨年の暮れ、ニューヨーク便のエコノミークラスで差別を受けたと主張し、人権侵害で会社を訴えると騒いだ件。この便では揺れがひどかったので、ミールサービスを一時中断した。しかし当該旅客は自分にだけサービスを遅らせ、差別をしたと立腹し、大声でＣＡを怒鳴りつけた。その帰りの便では、「デザートのリンゴが変色している、腐ったものを自分に出した」と当該ＣＡを責め、皿を投げつけて土下座しろと要求した。また一週間前のロンドン行きの便においても、サラダの切り口が変色している、エコノミークラスの客をバカにしたと、ロンドン支店に調査を要求。同時に詫《わ》び料として二〇〇〇ポンドを請求した。

「機内の野菜類は完全無農薬だから、変色しやすいのは確かなのよ。だいぶ前のことですけどロスアンゼルス線開設の初便で、ファーストクラスのお客さんが、ＣＡにサラダボウルを投げつけたことがあったのはご存じでしょう？」

「あれは他社から雇われた客で、営業妨害が目的だったんだろう？　でも今回のは個人的に恨みでもあるとしか考えられないな。こういうのは本当にいやだね」

江波はまったく納得がいかなかった。

「今日はビジネスクラスに乗るのか。うるさいからって営業さん、アップグレードしたな。この人の職業とか、バックグラウンドが知りたいな」

「それは空港でわかると思うわ」

「誰がビジネス担当のパーサーなの？」

「ベテランの吉田淳子《よしだじゅんこ》をあてたの。この件はファーストの一ノ瀬《いちのせ》かおりにも話してあるわ」

「キャプテンたちには、もう知らせた？」

「いいえ、まだなの、お話しする機会がなかったから。ブリーフィングのときにするわ」

「これを見ると、ミールサービスに注意する必要がありそうだな」

江波は玲衣子が引いたと思われる赤いアンダーラインの箇所を、もう一度見直した。

「さっき夏子ともそう話していたの。このＦＡＸが来てから落ち着かなくて。こう見えてもけっこう気が小さいのよ」

「ともかく何か起きたらすぐに知らせてくれよ。できることがあればすぐに対処するから」

「ありがとう。それを聞けただけでも心強いわ」

江波はタヌキがこれを知ったときの反応が気になり始めていた。

キャビンのことはコクピットに持ち込むな。

これが砧機長の信条だった。出発前のブリーフィングで砧機長の感情を害したら、成田までのフライトは地獄と化す。江波はため息をつきながら顔を上げ、流れる景色に目を向けた。

雨の上がったM4高速道路の両側には、イギリスの美しい緑が広がっている。そこではストレスとは縁のなさそうな馬たちが、思い思いの場所でのんびりと草を食《は》んでいた。

＊

ロンドンの運航管理室《ディスパッチルーム》のカウンターには、フライトに必要な書類がすでに用意されていた。無線交信のモニター音が、隣の部屋からBGMのようにかすかに聞こえてくる。

江波は運航鞄《かばん》をグレーの絨毯《じゅうたん》の上にそっと置き、担当運航管理者《ディスパッチャー》に挨拶《あいさつ》をしてから書類に目を通し始めた。副操縦士《コーパイ》である江波の仕事は、それら書類の点検に始まり、常に機長を補佐することにある。

ニッポン・インターナショナル・エア（ＮＩＡ）では、長距離フライトのコクピット・クルーは、機長二人と副操縦士一人の三人編成をとる。一機に機長が二人というのは、フライトの総指揮をとるパ《Ｐ》イロット・イ《Ｉ》ン・コ《Ｃ》マンド機長と、ＰＩＣ機長が休息時間などで機長席を離れたときに機長業務を行う第二指揮順位の機長、セ《Ｓ》カンド・イ《Ｉ》ン・コ《Ｃ》マンドがいるという意味だ。副操縦士の江波は第三指揮順位となる。

挨拶を終えると、ディスパッチャーはフライトで予想される天候、ルート及び飛行高度の選択理由、燃料の計算などについてブリーフィングを始めた。ＰＩＣ機長がフライトプランと飛行実施計画書《カンパニークリアランス》にサインをすれば、書類上の用意がすべて整う。

クルー・ブリーフィングのための部屋には、ＣＡたちが各人の受け持ちや、サービスの内容の確認、各クラス別の乗客数のチェックなど、キャビン関係の仕事の打ち合わせをすべて終え、楕円《だえん》形のテーブルを囲んで集まっていた。この時点で初めてＣＡが機長の指揮下に入り、コクピットとキャビン・クルーの合同ブリーフィングが開始される。

それはドアを開けるなり、いきなり始まった。

「人数が少ないな。どうしたんだ」

砧機長の茶色く光る坊主《ぼうず》頭と、初めて指揮下につくＣＡを震え上がらせるというドスのきいた声が、その瞬間からびりびりと部屋全体を支配した。

「はい。申し遅れましたが、私が二〇二便チーフパーサー《ＣＰ》の山本玲衣子です」全員が砧機長を注視する中、玲衣子が椅子《いす》から立ち上がった。「今日の便は空《す》いていますので、その分ＣＡも少なくなっています。一一名です」

「非常口が一二あるのに一一名。国内線《ドメス》より少ないのか？」

ＣＡの必要数は、以前は座席数によって決められていたが、現在では乗客数に対応するように変更されている。そのため、非常口の数よりもＣＡの数のほうが少ない事態も発生するのだ。これについてはいくら言われても玲衣子にはどうすることもできないし、むしろ、このような状態を改善してほしいと訴えたいくらいだった。

「はい。規則ではそれでよいことになっています」

「なにぃ。これでことが起きて、『非常口を開ける人がいませんでした』などと言ってみろ。いったい誰が責任をとるんだ。規則を作ったやつが来てドアを開けるのか」

「いいえ。私と、最終的にはＰＩＣの責任になると思います」

「そうだ。その通りだ。何か起きたら、なにが何でも非常口だけはすべて開けるんだ。いいな」

一言終わるたびに、ギョロッとした目玉で全員を見渡す。というよりも睨《にら》みつける。

「よおし。私が、ＰＩＣで機長の砧だ。よろしくな。隣にいるのが朝霧誠《あさぎりまこと》機長、ＳＩＣだ」

少しトーンを落とした砧が、ルート上の天候、飛行時間、目的地の天候などを説明し、揺れが予想されるポイントを、航法ログ上の地点と離陸後の時間で伝えた。

「質問はあるか」

しかし砧が威厳を保っていたのもこのあたりまでだった。時計を見てはうつむくを繰り返していたＣＡたちは、私語もしないかわりに顔を上げることもない。機長の指揮下においても、あくまでも上司は客室部の管理職である。入社時からそのような教育を受けている若い彼女たちの目には、上司でもない機長が偉そうに話をするのが不思議に映る。

チーフパーサーと、珍しそうに見ている配属になったばかりの新米ＣＡを除いて、話がいい加減に流されている。そう感じ取った砧機長のイライラ度は加速し、ますます不機嫌がつのっていくようだ。

続いてハイジャック及び緊急事態発生時の対応の打ち合わせがおざなりに行われた。砧も朝霧もそして江波も、緊急時にキャビン・クルーが何をするのか、実際にはほとんど知らないといってよかった。同じようにＣＡたちも緊急時にコクピット・クルーは何をするのかを知らなかった。ＮＩＡ社の組織上、ＣＡとパイロットの教育はすべて別々に行われる。緊急事態についても同じであり、お互いに話し合う機会を持つことが許されないので、クルー・ブリーフィングでは以前から「何々が起きたら規程通り」というマンネリ化した会話が一番多く交わされてきた。

「本日のサービスプランをご説明いたします」

機長のブリーフィングが終わると、山本玲衣子が機長にサービスに関する説明を始めた。「お客様はファースト《ＦＣ》三名、ビジネスが一五名、トータルで一三七名様の予定です。離陸後三〇分で一食目のミールサービスの準備と、入国書類の配布をし、食前酒のサービスはいつも通りです。その後、ＦＣは」

砧はもうわかったという顔で手を振ってさえぎった。

「もういい。他には？」

「はい。妊産婦の方が二名いらっしゃいます。一名は予定日が一ヶ月以内ですので、誓約書と医師の診断書等はカウンターでチェック済みです。ご主人は外国人ですが、日本語はわかるそうです。先ほどの連絡によりますと、東京の旅客情報コンピューターにはアクセスできないとのことで、乗客に関する情報がまだ入ってきていません。今のところロンドンでわかるものだけが来ています。それから客室部よりＦＡＸが入りました。トラブルパッセンジャーが搭乗予定です。これなのですが」

砧はひと通り目を通したがまったく興味を示さず、ＦＡＸを朝霧に渡しながら玲衣子に向き直った。

「何だこれは。え？　客室の問題じゃないか。俺たちは関係ないからな。ただ俺の便でクレームだけは上げさせてはいかん。いいか、みんなわかったな」

最後はトーンが一段上がっていた。言い終わると、いらだちをかみしめた顔で一同を見まわしたが、しーんとして下を向いたまま何の反応もない。そのギョロッとした目が一周して玲衣子のところまで戻ると、彼女は質問をした。

「もし、何か問題が起きたらいかがしましょうか？」

「くどいな君は。客室部は君にＦＡＸを送ったんだ。俺のところには何も来ていない。

俺が何か指示したら余計なことをしたと、逆に客室部から責任を取らされる羽目になるんだ。違うか、朝霧君」

「山本さん、サービスに関する限り、社内規程上私たちには何の権限もない。機内の規律を乱したり、他の乗客に被害が及ぶような状況になった場合にだけ、航空法上の警察権が認められているけどね。我々ができることは飛行機を飛ばすことだけで、ほかは何もできないんだよ。君たち客室部は、機長という存在など認めていないに等しいというのが現状じゃないのかな？」

規制緩和によって格安運賃の航空会社の話がでてからというもの、航空運賃が下がらないのは日本人パイロットの賃金が高すぎるからだと、週刊誌などマスコミは報じてきた。だが仮にパイロットの賃金をゼロにしたところで、国内線航空運賃の三分の一近くを占める着陸料や航空機燃料税などの公租公課、その他一時間あたり約一〇トンも消費する燃料費などの莫大《ばくだい》な経費から計算して、航空券一万円あたり三〇〇円も安くなれば良いほうである。これら賃金にからんだ報道は、意外にもＮＩＡ社内において、パイロットに対する感情を露《あら》わにすることになった。

【高賃金の日本人船員がいなくても船は走る】

海運業界で言われてきたことが、今では航空業界全体の風潮となり、ことあるごとに日本人パイロットを揺さぶっていた。

「一社員としての協力は惜しまずするから」

朝霧はその場を収めるように優しく笑った。玲衣子は朝霧に軽く目礼し、砧へ向き直った。

「先ほどのお話ですとバルト海と日本海上空で揺れるとのことでしたが、ミールサービスの時間をずらしたほうがよろしいでしょうか」

「規程上、どこでミールサービスをしようと、俺にはまったく関係がない。またそれをずらすとかいう権限も俺たちにはない。ただその辺で揺れる可能性が考えられると言ったまでだ。勝手に決めてするように」

「はい、わかりました。離陸後四時間半ぐらいでエコノミークラスは映画が始まります。二本上映します。この間に二交代で休憩《レスト》となりますが、私がレストのときは、CP（チーフパーサー）代行者がコクピットに報告いたします。二食目のサービスは到着一時間前までに終わるようにします。そのあとで客室《キャビン》内の不具合点と、入国に必要な書類等をまとめて伺います。コクピットとの連絡は絶やさないように、常に誰かが補佐《アテンド》できるようにしておきます。よろしいでしょうか？」

「わかった。他には？」

「こちらからは以上です」

メモを取っていた江波が顔を上げた。

「VIPはいますか?」

二二の瞳《ひとみ》が珍しそうに江波に注目する。立ち上がろうとしていた砧は「俺たちには関係ない」といまにも怒鳴り出しそうな顔つきで江波を睨んだ。

「いまのところVIPは二名いらっしゃいます。テイラー・コーポレーション会長のテイラーご夫妻です。IPの連絡は入っていません」

「あのニューヨークの大富豪の?」

「そうだと思います」

不機嫌の頂点に達した砧が立ち上がった。

「ほかになければ行くぞ」

その時だった。ドアが二回ノックされ無造作に開かれると、横を向いたディスパッチャー補佐が「OK、サンキュー、ジム」と笑いながら現れた。彼はこちらに向き直ったとたん、ぴたりと動かなくなった。砧の眼光に打たれたのだろう。

「すみません。新しい情報が入ったもので」

テーブルの前まで来ると小さな声で前置きしてから説明を始めた。

「実はあまり歓迎されない旅客なのですが、被疑者護送の連絡がありました。日本政府から外為法違反か何か、いや、詐欺《さぎ》だったかで逮捕状が出ているらしいのですが、その男がコロンビアからニューヨーク経由で英国に入国する際に、偽造パスポートがバレて逮捕されまして、日本政府に引き渡されます」

長身の若いディスパッチャー補佐は体を屈《かが》め、持っていた封筒からタイプされた書類を取り出すとテーブルにそっと置いた。

「名前はここに書いてありますが、シンジョウ・ツネハルといい、前科があるそうです」

彼は猫背ぎみに体を屈めたまま書類から目を上げ、二人の機長の顔色を窺《うかが》うようにしてその先を続けた。

「理由はわかりませんが、厳重な警戒のもとに護送されます。ロンドンもそうですが、成田でも飛行機《シップサイド》のところまで警察の車がつきます。機内では刑事二名が護送にあたるはずだったのですが、今日の連絡では一人になったそうです。ただしその刑事は武装して搭乗いたします。拳銃《けんじゆう》一丁と予備弾薬を携帯しております。機長の承認が必要ですので、ここにサインをお願いします」

書類上の場所を示すと彼は朝霧に向かってボールペンを差し出した。それを見た砧は、運航鞄を手に持ちドアに向かって歩き出した。

「待って下さい」

朝霧の声に砧が立ち止まって振り返った。とたんにディスパッチャー補佐は半歩ほど後ろに下がった。

「おまえはこの便の機長が誰だか知っているのか。ええ？　それでよく仕事が務まるな」

顔を真っ赤にして〝紅のタヌキ〟となった砧は、そばの机を拳《こぶし》で叩《たた》きながら目をむいた。

「いまごろなんだ？　特殊旅客だと？　サインしろだと？　そんなものはさっきのブリーフィングで済ませておくのが常識だろうが。そんなやつに乗ってもらう必要はない。断る」

「いま、その連絡があったものですから。旅客課は受け付けました」

「そうか。じゃあ俺のサインは何のためにあるんだ？　ただの飾りか」

砧の額に血管が二本浮き上がったところで朝霧が立ち上がり、その書類を手に机のところまで行き、砧の前に置いた。

「まあ時間がなかったので社内の手続きを先にして、法的な機長の承諾の部分が後になった、と。いつものやり方じゃないですか。私もそんな乗客はあまり乗せたくないですがね。しかしこれは外交レベルで決められたことですから。これ以上もめると定刻に出発できなくなりますよ。それから君もこんなときは、機長の名前ぐらい覚えとくもんだよ」

ディスパッチャー補佐は「すみません」と消え入りそうな声で言った。

砧は彼をもう一回にらみつけてから書類を黙って見ていたが、胸のポケットからクロスのボールペンを取り出すと、そこにサインをしながら「この護送はいつ決定したんだ」とだけ聞いた。

「護送便を秘密にするため、ロンドン警視庁《スコットランドヤード》はいまから一時間ほど前に決めたんだそうです。凶暴な犯人でもないのに。こんなことはいままでになかったです」

クルー・ブリーフィングが終わった。チーフパーサーの自分を含めてごく一部のCAを除けば、彼女たちはこれ以降飛行中も、成田に着いてからも砧の顔を見ることも口をきくこともない。CAたちはホッとした顔つきで立ち上がった。嵐《あらし》は無事に頭上を通過したのだ。

砧機長も好きこのんで、不機嫌になっているわけではないはずだ。いくら上司ではないと言われていても、あの娘《こ》たちはどうしてあそこまで無関心でいられるのだろう。

山本玲衣子にとっては、社内の一部エリートによって作り出された対立感情が、機内の雰囲気をここまでぎすぎすしたものにしてしまったのが悲しかった。

来月からはCAとコクピット・クルーは、宿泊するホテルも別々になるというし、このような形でのブリーフィングもなくなるらしい。今後、若い娘たちにはそれが当たり前のことになるのだろう。クルー同士に会話があり、お互いに助け合い、大空に情熱を感じることができたのは、前社長の時代までだった。再びクルーバスに乗り込んで、搭乗機が待つリマ二四番スタンドに向かうクルーの顔から、明るさや情熱がうかがえるだろうか。

機長をはじめ、濃紺や黒の制服を着たクルーの姿を眺めているうちに、玲衣子の頭には火葬場に向かう葬儀屋のバスに乗り込むときの、遺族とその親戚《しんせき》の姿が浮かんでいた。

玲衣子は一番最後にクルーバスに乗り込んだ。もう初夏だというのに、霧雨がひんやりと顔を包んだ。

コクピットからは見えなかったが、ターミナル・スリーの二階、搭乗口二四番ゲートから機体に伸びたボーディング・ブリッジの下に、パトカーに先導された車が静かに止まった。通常この種の特殊旅客は、一般旅客の搭乗が始まる前にそこの入り口から二階に上がり、機内に入る手はずになっている。

車内では護送犯人の隣に座っている日本人刑事が、スコットランドヤードから渡された書類にもう一度目を通していた。どうやら英語の書類に悪戦苦闘しているようで、先ほどから目も上げない。

英国側は、被疑者が日本籍の機内に入った時点で国外追放が成立したと了解し、その後は一切関知しない。日本側は日本の法律が有効な機内で彼を逮捕したという形を取る。今回に関しては両国間の条約に基づくものではない。彼はそのあたりまでを読んだところだった。

空港の送還者用留置場から移送されて来た男、新庄恒春《しんじようつねはる》、日本とブラジルのパスポートを持つ男は、じっと目をつぶったまま、今回の出来事について考えていた。

ニューヨークからロンドンへは、ブラジルのパスポートを使っていままで何度となく入国している。しかしコンコルドから降りて、長い通路を入国審査《パスポートコントロール》へ行くまでの感覚は、どこかいつもと違っていた。モニターテレビで監視されていた可能性もある。常に周りに人がいたことも、考えると不自然と思わねばならなかった。入国係官のところで、前に並んでいた男が急に振り向いて、ポルトガル語で冗談らしいことを俺に話しかけたのは、ほんの小さな不運だったのか。ブラジル国籍のはずの俺がポルトガル語がわからないと知られた瞬間、係官の青白い顔にかすかに浮かんですぐ消えたあの笑い、あれが終末の序曲だった。

罠《わな》だったのか？　はめられたのか？　もしそうなら、誰かが俺のパソコンのIDとパスワードを知ったことになる。俺がいま捕まったことで、五年をかけて作り上げたルートと、金融システムは誰の手に渡るのだろうか？　表向きの顔として使ってやっていたハンス・フォン・シェーンベルクのいかさま野郎か。裏の仕事を監督させていたマリア・コレリオとその仲間か。あるいは秘書のユリエと祐子か？　あの二人なら俺が彼女たちの体を知っている以上に、俺の仕事の内容を知ることができただろう。まさかとは思うが、二人がどこかの組織と手を組んだ可能性も考えられる。

だがヤツらにとって、俺が警察にすべてを吐くことが何よりも困るはずだ。俺をはめたのであれば、俺の口を封じることが、最優先の課題に違いない。その手はずができたから俺をはめたのか。それともただの小さな偶然なのか？

俺が警察に捕まったことで一〇億円単位の金がスイスに眠ったままとなる。警察にその金の存在を知られることを最も警戒しているのが、俺のクライアントである世界各国のフィクサーたちに違いない。

公的には彼らとはなんの関わりもないが、金の流れが当局につかまれ、彼らを経由して政治家に行き着くことがわかるのは時間の問題だ。俺との関わり合いの抹消を、最も望むのは彼らかもしれない。裏の人間たちにとって法律も国境もない。この先の俺の存在価値が天秤《てんびん》にかけられ、然《しか》るべき指示が出されたに違いない。

消されるのか、助けられるのか。俺が日本に着くまでに必ずなんらかの手を打ってくるだろう。それは飛行機に乗る前か、乗る瞬間か、飛行中か、飛行機から降りるときか。


車が止まった搭乗口二四番ゲートの一階部分は、貨物の一時置き場になっている。薄暗い保税上屋《ほぜいうわや》にはたくさんの航空貨物コンテナが置かれ、絶え間ないジェット・エンジンの騒音に加えて、走りまわる車のディーゼル・エンジンの臭《にお》いと、重く湿気を含んだ空気があたりを覆《おお》っていた。

新庄は、車の窓からそっと周りを見まわした。貨物コンテナの陰から動きまわる人影が見える。車を降りてボーディング・ブリッジの下にある入り口まで、遮蔽物《しゃへいぶつ》のない、少なくとも八歩の距離があった。ライフルにとっては、充分すぎる露出距離といえる。新庄はこれから向かうであろう入り口の鉄製の扉を見た。あの中の警備は充分なのだろうか。

車二台と警官三人に刑事一人、そして日本人の刑事が一人。前に止まっているパトカーから警官が一人出て、その辺をぶらぶら歩きながら警備に当たっているが、あとは車内にいる。誰もその黒い扉を開けてその向こうを調べていない。

外にいた警官がしばらく立ち止まり、トランシーバーでの通話を終えると車に近づいてきた。彼は雨の滴《しずく》がついた窓を指で軽くノックした。

「どうぞ《レディ・サー》」

刑事は顔を上げると、うなずいて新庄に合図した。新庄は覚悟を決めた。

二〇二便搭乗開始のアナウンスが、ターミナルに流れた。

ソファに身体《からだ》を預けていた人は腰を上げ、立って待っていた人はゲートに向かって歩き始める。土産物をねだっていた子供たちは親にせき立てられる。ファーストクラスとビジネスクラスの乗客のみが利用できるラウンジでは、まだ飲み物やスナックをつまんでいる人々がいるが、まもなくこの部屋にも搭乗案内が流れるはずだ。

貨物の入ったコンテナが、胴体下のカーゴルームに次々と積み込まれていく。

《まもなくご搭乗です》

山本玲衣子のアナウンスが機内に響いた。ＣＡたちの顔が引き締まる。二階客室《アッパーキャビン》にいる鈴木ひとみは、沈んだ気分を吹き飛ばそうと深呼吸を二回して階段のほうに体を向けた。Ｃキャビンにいた吉田淳子は、調理室《ギャレイ》をのぞいてから白い手袋を着けた。Ａキャビンの一ノ瀬かおりは、玲衣子に向けて手袋の親指を立て、すべてＯＫと合図を送ると、首筋をぴんと伸ばした。

五〇メートル後ろの最後部Ｅキャビンでは、まだ鏡をのぞくだけの時間がある。エコノミークラスのパーサー浅井夏子は、トイレで帽子と、気になっていた横のおくれ毛を少し直してから通路に出て、乗客を迎える顔になった。キャビンの一番後ろで前を向いて立っていた新米の小泉由香《こいずみゆか》は、浅井夏子がやっとポジションについたのを見て、ほっと胸をなで下ろしている。

「あいつらの態度は、まったくなっとらん」

ぶつぶつ言いながら機長席に座った砧機長は、中央計器台横《ペデスタル》のカップホルダーにコーヒーを収めると、せわしげにコクピットのセットアップを始めた。

砧の「コクピット・チェックリスト」のオーダーで、江波はこのフライト最初のチエックリストを読み上げた。砧の憤懣《ふんまん》は出発前点検が終わったあともまだ収まらず、矛先がほかに向けられた。

「江波君、今度は俺たちの給料を三〇パーセント切り下げると、事務屋が勝手に決めたというじゃないか、知っているか？」

「はい。いまはどの便のコクピットもその噂《うわさ》で持ちきりです。ですが協定書がある以上、いくら会社でも一方的にそんなことはできないと組合は僕らに言っています」

《ニッポンインター二〇二、こちらロンドン。感明（感度明瞭度《めいりょうど》）いかが？》

会社専用無線《カンパニーラジオ》が呼んできた。

「二〇二です、どうぞ」

《接続のお客さんがいます。フランスからです。一五名の団体で、すでにそちらに向かっていますが、手荷物が遅れそうです。それと……ロンドンからの乗客一人が見当たらず探しています。チェックインは完了しているのですが、……ああ、今カットすることに決定したようです。その方の手荷物を降ろします。急がせますので離陸割り《スロッ》当て時間《トタイム》には間に合うと思います。了解願います》

　スロットタイムを逃すと、次の離陸時間まで二〇分以上待たされる可能性がある。出発が遅れることは罪悪だと思っている砧の様子を窺うと、わずかにうなずいたので、江波はホッとしてマイクのボタンを押した。

「了解」

砧はしつこく問う。

「もし会社が協定書を破棄したらどうなる？」

「まさか、そんなことしないでしょう」

「君らの考えは甘いな」

乗客を迎えるアナウンスが、レシーバーを通して江波の耳にも聞こえてきた。すでに搭乗が始まっている。乗客はチケットに書いてある自分の席を探しながら、手荷物を抱えて混み合った狭い通路を歩いていることだろう。

そろそろ乗客の搭乗も終わると思われる頃、機上のACARS《エーカーズ》（対地データ通信装置）が離陸重量、重心位置、離陸速度等をプリントアウトしてきた。データを機の飛行情報処理システムに打ち込み、機上の計算と合うのを確認してセットする。

接続客も含めて乗客の搭乗は終了したが、カーゴの積み込みがまだ続いていた。五分ほど待ってやっと胴体下の電動カーゴドアが閉められ、出発準備完了となった。

管制承認発出機関《クリアランスデリバリー》より、航空交通管制承認《ATCクリアランス》が無線で入ってくる。

《ニッポンインター二〇二、エンジン始動《クリアースタートエンジンズ》してよし。ブルックマンズ4出発経路《フォーデパーチャー》》

二本のボーディング・ブリッジがライトを点滅させながら機体から離れ、ボーイング747－400型機はゆっくりと牽引車《トーイングカー》に押されながら、後ろ向きにターミナル・ビルより離れていく。

「ビフォア・スタート・チェックリスト」

「スタート4！」

「ナンバー4スタート」

四基のエンジンを右側から順に始動する。江波は機長のオーダーを復唱しながら、左手で頭上の四番エンジンのスタートボタンを引き、右手は上部計器覆板《グレアシールド》にあるストップウォッチのボタンを押した。

高圧空気モーターがタービンを回転させ、エンジンが始動の過程《シークエンス》に入ったことを、EICAS《アイキャス》（エンジン計器ディスプレイ）上の計器が示す。エンジン音はまだ聞こえない。四基の回転数がアイドルに落ち着く頃、やっとかすかな音と振動がコクピットに伝わってきた。付随するすべてのシステムの正常作動が確認され、地上の整備士との間につながっていたインターホンのコードが外される。

燃料一四〇トンを含む三六二トンの機は、ヒューンというエンジン音に引きずられるように、夕暮れの雨に濡《ぬ》れた誘導路《タクシーウエイ》を静かに走り出した。左手でステアリングを持つ機長は、右手を出力《スラスト》レバーから離し、地上に並ぶスタッフに白いスエードの手袋で軽く敬礼をする。燃料の重さで垂れ下がった主翼は、前縁下げ翼《フラップ》が下げられ、後縁フラップが二〇度に引き出されると、ますます重さが強調された格好になる。

タクシーウエイ上の走行は、ゆっくりとそして慎重に行われた。ブレーキとタイヤは、離陸までなるべく冷えた状態にしておきたいからだ。それでも二キロ先の滑走路に着く頃には、回転するタイヤが生む熱量だけでも大変なものになる。何しろ一八個ある車輪一つずつに二〇トン前後の重量がかかっているのだ。

窓にあたる霧雨をワイパーで拭《ふ》き払いながら、機はゆっくりと滑走路へと近づいていった。キャビンではウエルカム・ドリンクの回収中で、CAたちはまだ忙しく歩きまわっていることだろう。

スロットタイムまであと三分。だがまだキャビンから準備完了の合図がこない。砧機長の一喝が出るのではないか、と江波はハラハラしながらインターホンの液晶表示を何度も見た。しかし〝VTR〟と出たままだった。非常用装備品の説明VTRはとっくに終わっているので、現在、スクリーンには外の風景が映されているはずだ。ともかく一分以内にキャビンの離陸準備完了の合図が欲しい。

ピーンとチャイムが鳴り、液晶表示がやっと「キャビン準備完了《READY》」に変わった。ホッとした江波は無意識のうちに左席の機長へと視線を移していた。

「キャプテン、キャビン・レディです」

ニッポン・インターナショナル・エア二〇二便東京行きは、八ヶ国の領空を通過し、一万一〇〇〇キロの空の旅へ離陸準備を完了した。

2　ライフベスト

一日の離発着が一〇〇〇便を超えるヒースロー空港は、ヨーロッパで最も混雑する飛行場といわれるだけあって、発着機が途切れることはない。二〇二便が滑走路27レフトの手前まで来ると、英国航空《BA》のジャンボ機が、降り続く霧雨の中を猛烈なしぶきを吹き上げ、分厚い水煙のカーテンを残して離陸していった。

江波はBA機の離陸と同時に計器盤のストップウォッチを押した。BA機が起こした乱流がおさまるまで二分間は待ちたい。一分一五秒でタワーから離陸の許可がおりた。機長もちらっと秒針に目をやる。江波はキャビンに離陸の合図を送りながら、目は滑走路に障害物がないか見渡す。BA機の離陸よりちょうど二分が過ぎた。今度は経過時間を計るため、すぐに時計をリセットする。コクピットの空気が張りつめる。

「よし、行こう」

砧が誰にともなく言う。右手を少し上げ、二本の太い指で着陸灯とワイパーを入れる合図をする。江波がスイッチをオンにしたとき、尻《しり》上がりのエンジン音とともにパワーが七〇パーセントまで入り、オールノーマルが確認されるのに続きフルパワーが入った。

巨大な力が機体を震わせ、加速を開始した。滑走路灯の列が、次第に速度を増しながら視界の隅へ流れていく。ワイパーが目にも止まらぬ早さでガラスを拭《ふ》く。どこまでも続く加速に、時間まで圧縮されたように感じられる。速度計の白い数字は、緑で示されたV1《ワン》（臨界速度、時速二六五キロ）に近づいていった。この速度を過ぎたら、もう地上で止まることはできない。

「V1」

江波のコールと同時に、前方で大きな鳥が滑走路わきからふわりと飛び立ち、滑走路を横切ろうとしているのが目に入った。

「VR《アール》」（引き起こし速度、二九二キロ）

吸い込まれるようにこちらに近づいてくる。

——危ない。ぶつかる！

機長が機首を引き起こし、前方の視界に雲が低く垂れ込めた空が広がった。

「V2《ツー》！」（離陸安全速度、三一三キロ）

鷹《たか》のような鳥は、瞬間的に機首の左下を抜けていったようだが、江波のいる右席からは確認できない。反射的に全神経を音と振動に集中させた。どこかに当たったような感触は感じられない。すでに機首は一三度まで引き起こされ、車輪が地面を離れるときのゴトゴトという音と振動が伝わってきた。

「上昇確認《ポジティブ》」

「車輪上げ《ギアアップ》」

車輪が引き込まれた。ゴーという空気抵抗の音と振動がすっと消え、心地よい静けさが戻ってくる。空中に浮いたことで機体のすべてのシステムが生き返り、今まで燃料の重さで垂れ下がっていた主翼は、流れる空気に吸い上げられ、大空に向かって反り返った。

「ワイパー・オフ」空中では必要のないワイパーが止められた。

「プッシュ・センターコマンド」

「センターコマンド・プッシュ」

江波が答え、コマンドスイッチを入れる。飛行計器ディスプレイ《PFD》の表示モードが、コマンド《CMD》に変わる。

「コマンド」

二人で読み上げ、中央の自動操縦装置《オートパイロット》が入ったことを確認する。江波はエンジン計器を注意深く点検した。

異常があれば自動的にその部分が画面に表示されるはずだ。砧機長も短い首を後ろにまわしてひと通り翼とエンジンを見たが、左側の機長席からは一番エンジンとそれより外側の翼しか見えない。砧は特に何も感じなかったのか加速に移り、フラップを上げるよう指示した。補助椅子《ジャンプシート》に座っていた朝霧機長も、窓に顔をつけるようにして左翼の様子をチェックしていたが、ＯＫと親指を立てて見せた。

幸い日本ではまだ鳥衝突による事故は起きていないが、それでもニッポンインターでは、年間七回のエンジン取りおろし作業を含めて四〇〇〇回以上の鳥衝突があり、それによる欠航などの影響をあわせると損害額は一〇億円を超える。

江波は前回の班会でその話を聞いたばかりだった。

鳥がエンジンに吸い込まれた場合、一番分かりやすいのがにおいだ。エンジンの熱で焼ける異臭がキャビンにまで入ってくる。砧に断って、江波はインターホンでチーフパーサーを呼び出した。

《はい、Ｌ１《ワン》（チーフパーサーの着座ポジション）の山本です》

離陸してすぐにコクピットからインターホンが鳴るのは、何かがあったときだからドキッとする、とＣＡたちが言うのを聞いたことがあるが、落ち着いた声だった。

「離陸のときに、鳥に当たった可能性があるんだけど、においか音を感じた？」

《いいえ、特に何も感じませんでした。他のポジションにも聞いて、異常があればご連絡します》

「了解」

キャビンで異常を感じた者は誰もいなかったようだ。

オートパイロットが入り、機長の手がゆっくりと操縦桿《かん》から離れると、神経のスクランブル信号も消え去る。この先はすべてのシステムをモニターし、コンピューターに指示を与え、何が起きようと搭乗者全員の生存可能時間内、すなわち搭載燃料の飛行可能時間内に、安全に地上に着陸する。それがプロのパイロットたちに与えられた使命だ。

東京まで一一時間三五分、搭載燃料時間一三時間三六分。二〇二便は、REDFA《レドファ》ポイントを二万九〇〇〇フィートで通過し、マースリヒト管制区《コントロール》に管制移管され、オランダ領空へと進んでいった。

SICの朝霧機長は、一段落するとコクピットの左後方にある仮眠室《クルーバンク》へ入っていった。最初の二時間と最後の二時間が仮眠時間《レスト》で、その間の八時間が業務時間《デューティー》となっているが、離着陸時にはコクピットにいることを規則で義務づけられている。江波のデューティーは離陸後二時間で終了し、二時間レストをとり、そのあと四時間のデューティー、再びレスト二時間。そして最後の二時間がまたデューティーとなる。ＰＩＣの砧機長は、最初と最後の四時間がデューティーで、あいだの四時間がレストだ。

離陸から二三分。最初の巡航高度、フライトレベル３３０《スリースリーゼロ》（三万三〇〇〇フィート）に到達した。西の空はオレンジ色に輝き、東の空はどこまでも透明で青い。外気温度はマイナス四八度。気流良好で、雲の絨毯《じゅうたん》は夕陽によってピンク色に染められている。衛星放送で送られてきたＮＨＫニュースが流されているキャビンでは、食事の準備が進められているはずだ。

砧はスエードの手袋を取り、足もと左側の運航鞄の中に放り込んだ。

「さっきの話だけどな、あの方式だと俺たちの給料は下がるが、事務屋は一〇パーセント上がることになる。君は本当に協定書破棄はないと組合から聞いているのか？」

計器板のフットレストに足を上げ、制服の半袖《はんそで》シャツから太い腕をのぞかせているタヌキは、サングラスをかけたので坊主《ぼうず》頭に凄味《すごみ》が加わった。

「いえ、ただみんながそう言っているので……」

「会社は新しくできる格安運賃の航空会社を援助している。それを今の組合執行部はなんと考えているんだ。おかしいと思わんか?」

江波が組合問題に詳しくないとみてあきらめたのか、砧は目を遠くの雲に移すと急に話題を変えた。

「まあいい……。もう夏の空だな。君はスポーツは何をしているんだい?」

「スキューバ・ダイビングです。夏休みに、石垣島にでも遊びに行こうかと思っています」

「ほお、夏休みね。俺が知っている限り、夏休みを取って出世した男はいないがね」

*

そのホテルは最上階のスイートルームまで上らなくても、五階以上の部屋からはハイド・パークが一望できる。ホテルの地下にあるカジノ《パレ・ロワイヤル》の事務所に電話が入った。電話は一段高くなったフロアにあるレストランにまわされ、ギャルソンがそこで食事中の紳士にコードレス電話機を持っていった。受話器からはかすかなロシア訛《なまり》の英語が流れてきた。

〈〝ハネムーン〟は予定通り出発した。連絡頼む〉

「わかった。すぐに連絡しておきましょう。サンキュー」

勘定を済ませ、早足でカジノを出たその紳士は、八階の自分の部屋へ戻るとすぐ電話に向かった。夕暮れの公園が見下ろせる窓際《まどぎわ》で、紳士は受話器から聞こえてくる呼び出し音の回数を数えながら相手が出るのを待った。

六回の呼び出し音が鳴ったあと、〈恐れ入りますが少々お待ち願います〉が二回繰り返され、また呼び出し音が続き、短く早口のロシア語とザーという雑音が入り、再び呼び出し音に戻った。

公衆電話からかけるように指示されてはいたが、こう待たされては、外まで行きたくない。雨も降っていることだし。

いつものことながら相手につながるまでに五分以上かかった。

「アロー、大佐《バルコヴニク》。こちらロンドンです」紳士は受話器を片手に会釈《えしやく》をするような仕草をして窓際からデスクへと移動していった。

「はい。少し前に〝ハネムーン〟は出発しました。ニッポンインターの二〇二便です。ええ、それはもうプロですし、ハンドレッド・パーセント間違いありません。そちらの指示通り手を打ってあります。は？　そのことでしたら心配いりません。別に問題ないでしょう。え？　アロー、アロー、ああ、ミスター・タナカの、はい。送金の件は、……ありがとうございます。またご連絡します。それでは」

霧雨の公園を見ながら電話を終えた紳士は、スーツケースをベッドの上に広げると荷造りを始めた。紳士がホテルをチェックアウトするために部屋を出るのに、それから五分とかからなかった。

スコットランドヤードは、偽造パスポートから新庄恒春が南米コロンビアのカリブ海に面したリゾート地、カルタヘナで四泊したことを突き止めていた。彼の手帳にはホテルや航空会社などのほかに、持ち主のわからない電話番号がいくつかあった。念のためにコロンビア以外の国の電話番号も調べると、やはり持ち主不明の番号がでてきた。

国際的な犯罪のにおいを感じ取った刑事たちは、それらの番号をすべて調査の対象とした。新庄が逮捕された以上、必ず連絡が入るはずだ。持ち主不明番号にかけてくる国際電話を、担当刑事は注意深く見守っていた。

ブリティッシュ・テレコム社のデジタル交換機に入った信号はすぐにピックアップされ、発信元の番号がコンピューター画面に赤色のフラッシングを伴って現れた。今回は公衆電話からではなかった。

＊

コクピットのドアが開いて、アッパーキャビン担当の鈴木ひとみが顔を出した。砧は先ほどからなぜか機嫌が悪く、口もきかなくなっていた。扱いに困りはてていた江波にとっては、ちょうどよいタイミングだった。

「お食事はいかがいたしましょうか、キャプテン」

「ずいぶん遅いな。普通は一時間もしないうちに、飲み物くらい聞きに来るもんだ。チーフによく言っとけ。それとも今流行の、〝コクピットにはサービスする必要なし〟のくちか？」

「いえ、そんなことありません」

「そうか。俺たちにも食わせてくれるとはありがたいねえ。何があるんだ」

「いつもと一緒です。チキンのソテーか魚のムニエル、あるいはステーキです。チキンカレーもございます」

「チキンカレーとウーロン茶だ。前に聞いた話じゃあ、持って来るまでに五時間かかったらしいな。今日はどれだけ待てばいいんだ」

「そんなにかかりません、すぐにお持ちいたします。江波さんは？」

「僕はステーキにして」

「はい、わかりました。朝霧キャプテンは今レストですか？」

「まもなく僕と交代するはずだよ」

「では、その頃また来ます」

ひとみはそう言ってから、小さい声で、江波に聞いた。

「今、どの辺ですか？」

「下の海はバルト海。今はスウェーデンの領空だけど、まもなくラトヴィアに入る。あと五分したら右側にラトヴィアが見えると思うよ。ああ、ちょっと待って、地上《した》から呼んできた」

江波は右手を耳のレシーバーに添えた。マルモ・コントロール（スウェーデン）から、リガ・コントロール（ラトヴィア）と交信《コンタクト》せよとの指示だった。周波数を変えてリガに交信すると、タリン（エストニア）に管制移管するポイント、KOLKA《コルカ》をリポートせよとだけ伝えてきた。

「あと一〇分でレストだから、食事はクルーバンクの部屋に頼めるかな」

「はい、飲み物は何にしましょう。それから、合図はどうしましょう？」

「ジンジャーエールを頼む。ノック三回で開けるよ。そういえば問題の乗客はどう？」

「はい。私の受け持ち区域ではないので詳しくはわかりませんが、特殊旅客は刑事さんがかなり気を遣って下さっていると聞いています。トラブルパッセンジャーは、今のところまだ何もありません。ビジネスクラスの後方に座っていらっしゃいます。何かありましたらお知らせします」

「了解、ありがとう。それと」江波は機長に聞かれないように小声で聞いた。「お客さんとのデート、楽しかった？」

江波の肩ごしに、横の窓から下をのぞいていたひとみの動きが止まり、その首すじから顔にかけて、一瞬ほんのりと紅潮したのが見えた。彼女は下を向いたまま「失礼します」とキャビンに戻っていった。入れ違いに朝霧がクルーバンクのドアを開けて、コクピットに入ってくる。

「そろそろ替わろうか。お疲れさん」

江波は、引き継ぎ事項の説明を終え、砧に挨拶《あいさつ》をして席を立った。

飛び発《た》ってからも、新庄は気が抜けなかった。まだ水一杯、口にしていない。胃が受け付けないのだ。

ODAがらみの話がまとまった結果、米ドルで一〇〇万もの金がサントスらに入ることになった。

ロシアの件にしてもそうだ。次期大統領選挙を控え、すでに半額の一〇〇万米ドルが渡っている。もし俺の口を塞《ふさ》ぐ必要があると考えたら、早急に手を打つはずだが、手配が間に合わなかったのだろうか？

機内に入る前は狙撃《そげき》される不安が頭から離れなかった。ヤツらは決してハイジャックだとか爆破などという世間の目が集まる荒っぽい仕事はしない。それは頭に血が昇ったテロリストがやることだと言う。組織が動いたときは「事故」という形をとる。しかし金がかかる。だから投資に見合う人物のときだけだ。一番安く済ますなら、狙撃だろう。

身内が裏切ることも大いに考えられる。あいつらは後先考えずに何でもする。飛行機ごと吹っ飛ばすことに何の躊躇《ちゅうちょ》もないだろう。

「追い込まれると、素人《しろうと》さんは無駄な抵抗をする」

組織の幹部と笑いながら酒を酌《く》み交わしていたのは、ほんの三日前にすぎない。まさか俺がその立場になるとは。

まわりの捜査の状況が全く想像できない。俺はすでに冷静な思考を失っているのかもしれない。周囲が気になってじっくり考えることすらできない。

「素人さんは恐怖を味わうと考えないね」

彼らが言ったことが頭に浮かぶ。これでは、俺も素人さんか。解決策は何も出てこないではないか。

二度深呼吸をしてから、隣の刑事の様子をうかがった。かなり緊張しているように見える。ロンドンで会ったときに感じた嫌悪感《けんおかん》が、どうもつきまとって離れない。目は赤く血走っているし、それに落ち着きがない。体を揺すっていて実に品がない。気になる。気になるといえば、脇《わき》のホルスターが不格好に上着を膨らませていることもだ。その無神経さが何とも我慢ならない。実際に拳銃《けんじゅう》を使ったこともないのだろう。まったく宝の持ち腐れだ。俺がもしこいつの銃を奪えば、どうなる。銃を奪う？　拳銃を奪ってハイジャックか。あのスイスの金は世界中どこからでも電話一本で動かせる。そうか、俺には金の心配はまったくない。それにいま捕まってしまっては、サントスの組織には一銭も入らない。彼はあの金が必要なはずだ。可能性が見えてきた。南米までたどりつけばなんとかなる。金さえ出せばサントスたちが助けてくれるだろう。逃げ出せる可能性は充分にある。ハイジャックだ！

希望を見出《みいだ》して、落ち着きを取り戻した新庄の目は、通路の向こうからメニューを持って近づいて来るＣＡに移っていた。

クルーバンクはコクピット後部の二段式ベッドが置かれた部屋で、さらにその後ろにはドアで仕切られた小さな個室がある。コクピットの息詰まる雰囲気から解放された江波は、その小さな空間の椅子《いす》に腰をかけ、ほっと一息ついた。

目を閉じてぼんやりしているとドアが三回ノックされた。ロックを開けると、胸にチーフパーサーの金翼のバッジをつけた玲衣子が、トレイを持って立っている。

「やあ、どうぞ入りなよ」

「ちょっとご機嫌伺いにコクピットに顔を出したの。トミの話だとそうとう雰囲気悪いようだから、いま彼に食事を運んだの」

玲衣子は入りながら片手でドアを閉めた。江波が肘掛《ひじか》けからテーブルを引き出すとトレイをその上に乗せ、上にかけてあった白いナプキンをとってくれた。ステーキ・ディナーが湯気を立てて目の前に現れる。

「ありがとう。さっきは『コクピットへはサービスをしないつもりか』って、鈴木さんに当たっていたけどな。で、どうだった？」

「けっこうご機嫌斜めね。トミが裏でカッカしてるの。『あのオヤジ、超ムカツクのよね。なんであんなにエラソーなのよ』って。でも私、ああいうの、慣れてるから。ちょっと座っていい？」

「ゴメン、気がまわらなくて。どうぞ」

山本玲衣子は茶色がかった髪をゆらしながら、笑みが残っている江波の隣に腰掛けた。ふわりとやわらかい香りがあたりを包んだ。

「前にあったんだよ。コクピットは社員なんだからサービスの必要なしって、客室部《デスルーム》からの指示だといって何もしない奴《やつ》がいた。聞いたことあるだろう」

「ええ、あれも誤解なのよね」

時差による慢性的な不眠や疲れと、CAの上司は機長ではないという指示あたりから始まった、ぎすぎすした社内の雰囲気が、ほんの些細《ささい》なことを大きな問題にしてしまう。小さな事件がこのところ続いていた。飛行にはまったく関係のないことも、パイロットのストレスを増加させるようであれば、フライトに影響を及ぼす。

「最近は本当にくだらないことでトラブルが起きるからなぁ。ところで問題のトラブルパッセンジャーのほうはどう」

「今日のクルーは感じがいいと言われたわ。ご機嫌みたいよ。でも本気なのかよくわからないの。淳子はその高崎さんという方、やっぱりなんだかおかしいって言うし。

特に注意して見ているせいかもしれないけど。いまのところ何も起こってないわ」

「何者だかわかった？」

「ロンドンでもはっきりした職業はわからなかったの。東京の顧客情報コンピューターはやっぱり故障みたいよ。電話も試したらしいんだけど、あちらは真夜中で担当者と連絡が取れなかったんですって」

「わざわざＦＡＸを送ってきても、いつも肝心なことが書いてない。情報を制する者がすべてを制すとか社内で言われ出してから、逆にこっちには全然情報がまわってこなくなったからね」

江波も情報の偏《かたよ》りがひどくなってきたと感じている一人だった。つい愚痴が出てしまったことに気づいて話を元に戻した。

「でも顧客情報が故障というのは珍しいな。まさか彼、ヤクザ屋さんじゃないだろうな」

「はっきりはわからないけれど、確か大きな会社の課長さんとか言っていたわ。ロンドンに来るときの二〇一便でもトラブったでしょう？　で、ロンドンの誰かが覚えていたらしいの」

玲衣子がジンジャーエールをグラスに注いでくれた。

「ああ、ありがとう。そんなエリートなら、ファーストクラスとまではいかなくても、ビジネスに乗るのが当然だろう？」

江波は密封されたビニールの袋を破いて、ナイフとフォークを取り出した。それらは氷のように冷えている。

「だからトラブるのよ。うるさい客はすぐにアップグレードしてしまう会社のやり方も悪いのよね。トラブルで一番多いのが、一度味を占めたその種のお客さんですもの。それよりも私たち、特にその人だけを特別扱いするのはやめて、同じようにサービスすることにしたの。『お客様は公平に』が基本だから」

「山本さんもストレスがたまるな。お客さんだけでなく、コクピット・クルーにまで気を遣ってさ。いまどきそんなの君ぐらいしかいないよ」

「でもそれこそが私の仕事だと思うの」

江波は、玲衣子の運んでくれたステーキにナイフを入れた。

どうして機内食というのは、どれを食べても同じような味なのだろう。せめて煮たか、焼いたか、ゆでたかぐらいははっきりさせてほしい。もっともここは北緯六〇度で、まもなくシベリアにかかろうかという、零下五〇度のツンドラ原野だ。その上空一万メートルを、マック〇・八五（音速の八五パーセント）で移動しながら、温かい食事を食べている。仕方がないどころか、とてつもなくすごいことなのかもしれない。

「一つ聞きたいんだけど、鈴木さんは昨日帰ってきたの」

「今朝一〇時頃かしら、ご心配かけましたって。トミも充分反省してます。江波さん気がつかなかった？　彼女ずーっと泣いていたらしいの。……変な目でジロジロ見ないでよ」

「そう言ったって無理だよ、目が勝手に動いちゃうよ。彼女、睡眠はちゃんと取れているのかな」

「それは大丈夫みたいよ。ゆっくり眠りたかったから、今朝戻ることにしたんですって。それより食べ終わったら呼んでね。そのトミが片づけてくれるわ」

玲衣子は笑いながら席を立った。江波は思いきって訊《き》いてみた。

「あの、東京での食事、今度の週末でどうかな？」

「ええ、いいわよ、今度は私がおいしいステーキをごちそうするわ。いいワインが手に入ったの。土曜日の午後、夏子も来るの。お出かけの前に電話下さい」

玲衣子は江波の紙ナプキンに電話番号を書いた。

「両手に花とはすごいや。朝から何も食べないで楽しみにしていくよ」

一人になった江波は急に心が軽くなった気がした。ジンジャーエールのグラスをテーブルに置きながら、以前浅井夏子から聞いた話を思い出した。

ある便のビジネスクラスで、ドサブ（CAの間では中間層をサブと呼び、その下がドサブ、さらに下はペーと呼ばれる）が、二人連れのお客さんにジントニックとジンジャーエールを注文された。ところが彼女はギャレイに戻ったきり出てこない。あまり時間がかかるので先輩が見に行ったところ、まだ何かを探している。たまりかねて聞いた。

「どうかしたの？」

「はい。トニックとジンはあったんですが、ジャエールが見つかりません」

食事を終えた江波はニヤッと笑ったあと、目覚しをセットして一時間半の眠りについた。


エコノミークラスDキャビンの山崎《やまざき》リサは、先ほどから注文を間違えたり、頼まれたことを忘れたりと、ミスを繰り返していた。その都度エコノミークラスのパーサー、浅井夏子に注意されていた。

ミールサービスをしているときから、特殊旅客が気になって仕方なく、それ以来落ち着くことができなくなった。彼がリサに向けた笑顔は青白く、その無表情な濁った目で下から上へと舐《な》めるように見られた瞬間、突き刺さるような恐怖が全身に鳥肌を立たせた。尋常な目つきではない。暴走したら止まらない凶暴さが読みとれた。

隣の席に刑事がいるのだから怖がる必要はないとわかっていても、まともにサービスができないほどだった。誰かに訴えようとしてもみな忙しく、いつもはないミスも重なって、タイミングが合わなかった。それに「またリサの心配性が始まったのよ」というひそひそ話がキャビン中に伝わってゆくのもいやだった。

ＣＡになる前、まだ看護師として病院にいた頃もそうだった。夜中に患者がいびきをかいていただけで、当直の医師を呼び出したことは有名だった。脳梗塞《のうこうそく》で死んだ父親の、リサが五歳のときに聞いたいびきの音が頭の中で突然よみがえったのだ。病院の仕事は好きだったが、何かにつけて失敗しそうで、自信をなくしてしまっていた。心配が先に立って、何事にもミスが多くなる。特に夜勤が怖かった。

リサはそのままノイローゼの一歩手前にまで追い込まれていたが、そこから抜け出せたのは幼い頃からの夢のおかげだった。スチュワーデスになって世界を飛ぶ。そのことを実現させるために看護師をしながら必死に勉強した。そしてやっとニッポン・インターナショナル・エアに入ることができたのだった。

ＣＡの訓練が終わったときにはすっかり痩《や》せて、髪も短くしたせいか男の子のような雰囲気になっていた。リサは同期の鈴木ひとみや小泉由香とは一ヶ月遅れてラインに出た。

路線業務教官《ラインインストラクター》の資格を持つ青木《あおき》佐知子《さちこ》は、ギャレイでリサと二人きりになったとき、彼女の恐怖を小声で打ち明けられた。二ヶ月前、リサのライン業務訓練《OJT》を受け持ったので、話しやすかったのだろう。

あまりに怖がっている様子なので、この先も何かあるようなら自分の受け持ち区域と替わることにした。特殊旅客は食事の最中で、上着がかけられた肘掛けの下は手錠でつながれているらしく、窮屈そうに片手に持ったフォークだけで食べていた。その様子から見てもリサの言う凶暴さなどの印象は受けなかった。いったい何がそんなに怖いのか。佐知子には心配性のリサの気持ちがわからなかった。

自分たちのことをジロジロ見る乗客は彼だけではない。リサはボーイッシュでほっそりと締まっているが、サービスのときなどにブラウス一枚になると、その分ふっくらした胸のふくらみが目立つのでつい注目されてしまうのだろう。

思い出すのは夏の制服がオーバーブラウス・タイプだった頃だ。天井の物入れに手荷物を入れるとき、浮き上がったブラウスの中を下からのぞかれていたという経験は数え切れなかった。しかしそんなことをいちいち気にしていたら仕事はできない。いまの制服に替わってからも、いろいろな角度から乗客に見られる。機内では他に何も見るものがないから仕方がないと、そのうちリサも思うようになるだろう。

江波が目を覚ましたとき、交代まではまだ一五分あったが、早く朝霧機長をタヌキから解放してあげようと身支度を済ませた。コクピットのドアを開けると、窓から陽が差し込んでおり、一瞬目が眩《くら》むほど明るい。しかし雰囲気は暗かった。白けた感じはすぐわかる。

「交代時間です。お疲れさまでした」

精いっぱい、明るい声を出した。

「私のような立場の人間は、フライトでは疲れないんだよ。いろいろ会社のことを心配して疲れるんだな。ま、君らにはわからないだろうがね。さてと、少し休ませてもらおうかな。朝霧君、頼むよ」

ごちゃごちゃ呟《つぶや》いてから、やっと席を立った。朝霧とのフライトとなる。

「どうでした？」

「疲れたよ。建前論と事務屋についての愚痴を二時間聞かされてね」

「飛行機は建前では飛びませんものね。物理法則という、真実だけが支配している世界でしょう?」

「その物理法則は、誰にでも平等に作用するだろう。それなのに、自分だけはなにか特別な存在だと考える。怖いよ。彼は同期よりも早く管理職になった。だから自分の地位に対するメンツもある。突っ張らなきゃならない部分もあるんだろう」

「そうですか。でも砧機長はキャプテンより後輩でしょう?　〝朝霧君〟なんて、あからさまにおっしゃってましたよね」

「彼の方が歳《とし》は上だがね。会社では二年後輩だ。でも君たちは昔の彼を知っているか?　いま僕たちが手にしている乗務手当や労働条件は、彼らがその昔苦労して作り上げたものが基礎になっている。彼が管理職になったのは、乗員組合に置いておくとうるさいと会社が思ったからだ。だから異例の早さで出世させた。会社は彼の口をふさいだんだな」

「そうだったんですか。でもみんなそんなこと知りませんよ。うるさいキャプテンとしか思われてないんじゃないですか」

「君たちがそう言っているのは知ってるさ。スケジュールが発表されたとたん、彼とのフライトに当てられた副操縦士《コーパイ》は、みんな有給休暇を取るって乗管（乗務管理）の連中がこぼしてたよ。でもあそこまで自分を出せるのは、どっちにしてもたいしたもんだよな」

朝霧は両手を頭の上で組むと、大きく伸びをした。

「食事の回収がやっと終わったわ。まだ免売（免税品販売）が少し残っているけど、まもなくOKよ」

そう言いながら、夏子がファーストクラスのギャレイに入ってきた。玲衣子は小さなスイッチライトを手にしたまま、ため息をついて振り向いた。

「夏子、ちょっと見てくれない？　オープンのスイッチライトがつかないの。取り外してみたんだけど、この中の電球、どうやってここから出すの？　爪《つめ》で引っ張っても取れないのよ」

「マニキュアの先がはげちゃったじゃないですか。これは確かこうやって爪で弾《はじ》いてやると電球だけ飛び出すはずよ。……ね？　二つともまっ黒になってるわ、切れているみたい。スペアをコクピットにとりに行かないと。江波さんに頼んでみるわ」

「ありがとう」

「今日まだコクピットに顔を出していないので、ちょっと行ってきます」

夏子は玲衣子からスイッチと電球を受け取ると、棚についている小さな鏡をちょっとのぞいてから、ギャレイのカーテンを開けて通路に出ていった。

新庄はたっぷりと食事をしたあと、寝たふりをしながら考え続けていた。たとえハイジャックが成功して南米へ飛んだとしても、ホセ・サントスは、自分を助けてくれるのか。目をつぶった新庄の頭の中は、疑問がぐるぐるとまわっていた。

その昔、バブルに皆が浮かれだした頃、新庄はある企業から詐欺犯《さぎはん》として訴えられた。それ以来正規のパスポートが取れなくなったのだが、同じ失敗を繰り返さないために、企業について勉強した。そして現在のビジネスを見つけたのだ。自分自身、素晴らしい着眼点だったと思っている。

企業の広告宣伝費は、経済的尺度とは違う価値観で計られる。ある種、裏から裏へと流れる金でもあり、その費用対効果を論理的に説明できる者はいない。それを政界への裏献金と結びつけたところ、新庄に莫大《ばくだい》な金が転がり込んできた。

モータースポーツの世界選手権シリーズは毎年世界の国々をまわり、その運営には途方もない費用がかかる。新庄はまずその金の動きに注目した。

ある企業にレーシング・チームのスポンサーになることを働きかける。企業が同意してスポンサーになると、まずルクセンブルクにおいた新庄の会社が金の受け皿となる。そしてレーシング・チームとの間に書面及び口頭による契約が結ばれる。チームへの支払いはルクセンブルクの銀行から分割で振り込まれる。

新しいレーシング・カーの開発中、あるいは練習走行《プラクティス》中に不幸にもクラッシュし、何億もする車や何千万もするバイクがスクラップになったとしても、誰も疑いの目を向けることはない。そのようなクラッシュやエンジンの焼き付きが、年間を通じて何回かは帳簿上だけで発生する。裏契約に従い、そのようにして浮かせたスポンサー費用の一部は、世界各国の様々な金融機関を通じてスイスの指定された無記名番号口座にバックされてくる。その額は契約にもよるが、最終的にはスポンサー費用の二割から三割程度で、それでも億単位の金になる。しかも金が動くたびに双方から三パーセントの手数料が新庄に入る。何かの不手際《ふてぎわ》が生じた場合でも、チームは複雑に細分化された多国籍企業の形を取っているので、税務当局の追跡によって解明されるおそれはまずない。

バックされたスポンサー費は、当面スイスの口座に眠ることになるが、企業や組織からの指示で新庄が引き出し、プロの運び屋によって日本、あるいは企業が進出を考えている国のフィクサーのもとに届けられる。そこから裏の献金として政界の有力者や、軍の高官たちにばらまかれるのだが、その結果、新庄は自分の意志に拘《かかわ》らず、世界を動かすほどの裏組織や、主なフィクサーたちと深いつながりを持ってしまった。おかげでビジネスは発展し、その世界で着々と地位を築きつつあった。

銀行だけが異様に多いことで知られるイタリア語圏スイスの小さな町ルガノ。アルプスの麓《ふもと》に位置するその町の銀行の地下貸金庫と無記名番号口座、その持ち主との関係をすべて知る新庄がいま司直の手に落ちたのだ。

「会社とはパイロットの組織ではない。事務職の組織である。聞いたことないか？」

「その言葉は聞いたことがあります。まさか、砧機長が言われたんですか」

「そうだ。その昔、組合大会で彼が言った言葉だ。それを考えると、ずいぶん変わったろう？」

「想像もできませんね」

「会社の事務職の半分が管理職なのは君も知っているよな。パイロットや整備出身の管理職は数も少ないし、発言権もないしね。彼にとってはパイロットの社会的地位が下がることがたまらないんだろう」

「それで『事務屋、事務屋』って言い方するんですね」

「そうだろうな。彼も会社人間のように振る舞っているが、パイロットという職業の性質からいって、会社人間にはなりきれないと思うよ。だから、いまのような組合の危機を目《ま》の当たりにすると、心のどこかでジレンマを感じるんだろうな」

コクピットのドアが開き、ほのかに〝アマゾン〟の香りが広がった。機長席の朝霧が振り返った。

「やあ、どうしたの」

「この電球のスペア、あります？」

背が高く足の長い浅井夏子は体を半分に折り曲げるようにして、ソケット・スイッチと米粒大の電球を二つ差し出した。

右席で操縦を担当していた江波も、ちらっと後ろを振り返り彼女を見てにっこりしたが、慌《あわ》てて前の計器に顔を戻した。前かがみになった夏子のブラウスの胸の膨らみが、すぐ目の前にあったからだ。

朝霧は濃い色のサングラスを外すと電球を手に取り、目を細めて刻印されているナンバーを確認しながらたずねている。

「よくこの電球が外せたね。君が外したの？」

「はい。ＣＰの山本さんに頼まれて」

「そうか。君は確か会社の飛行クラブで、セスナをやっているんだよね。さすがだな。えーと右側の棚の蓋《ふた》を開けて、いや、その上の段の。その中に発砲スチロールでシールされている箱があるから取ってくれないか、その中に入っている」

　しばらくして彼女は新しい電球を持ち、香りだけを残して去っていった。

「彼女だよ、週刊誌でタレントのほら、なんと言ったっけ、彼と結婚するとかしないとかで騒がれたのは」

「僕はあまりそっちのほうは詳しくないんで」

「江波君もいつまでも一人でいないで、彼女のような美人を探したらどうだい。まだその気持ちはないか」

「いやあ、駄目なんです、僕みたいなバツイチは。それより彼女、飛行機もやっているんですか。知りませんでしたよ、今どきのＣＡは何でもやるんですねえ」

「航空級無線免許だけは取ったのかな、昨日食事のときに言っていたよ。まだ始めたばかりで、Ｂ４クラシック（Ｂ７４７-２００型）の航空機関士《ＦＥ》の誰かに教えてもらっているとか」

「白石君ですか？」

「そうそう、確かそうだった」

「そうですよね。セスナには、こんなスイッチライトついていないから、おかしいと思いましたよ」

そう言いながら、江波の頭の中では彼女の美しいユニタード姿が踊っていた。


江波が羽田にある会社のジムで汗を流しているときだった。

「江波さん！」

名前を呼ばれて振り返ると、髪を後ろで止め、グリーンのユニタードが黒く透けるほどエアロビクスで汗をかいた夏子が立っていた。

前に歩いてきた彼女の足からは、大腿筋《だいたいきん》がさっと浮き上がる。躰《からだ》をひねったとき、汗で貼《は》り付いたユニタードの上からでも、その美しさは輝いていた。健康的な広い胸と、その上に独立してついているような形の良い乳房、細く締まった胴体、美しくカーブを描く背骨、ふっくらとした恥骨の盛り上がり、強靱《きょうじん》なバネのような太股《ふともも》、引き締まった足首。そのあまりにも美しく鍛え抜かれた肢体に、見とれたり秘《ひそ》かに唾《つば》を飲み込んだりで、声を出せるまでに時間がかかった。

「あ、浅井さん」

「やだあ！　そんな珍しいものを見るような目つきをしないでよ。でも江波さんにここで会うなんて、驚いたわ。今度ロンドンご一緒よね」

彼女は棚にあるダンベルを左手で取り上げると、右手を頭の後ろに当てて体を右に倒し、サイドベンド（脇腹《わきばら》を締める運動）を始めた。ヘアバンドの上から出た、ポニーテールの髪の毛が彼女の後ろで左右に揺れる。見ている江波の頭も左右に揺れそうになる。

「ああ、でも、いつからそんなに鍛えているの？」

「そうねえ、マシーンは二年半前から。ワシントン《IAD》でご一緒したの覚えてる？　あの頃は丸っこくて、ぽちゃぽちゃしてたから。なんとなくこのままじゃ駄目だって思って。それに江波さんに食事もフラれたし、これは冗談よ。でも三〇を過ぎたら努力しないとね。私たちの健康はお客様に対するサービスの基本でしょう？　私たちの健康は、会社のイメージアップにもつながるし、それに安全保持には絶対欠かせないものだって思ったの。健康な身体を保つことが、すべての原点であり、その責任を負っているのよね。わぁ、難しい言葉つかっちゃった」

　そこまでしゃべると、ダンベルを右手に持ち替えて運動を続けた。

「一年間に一〇〇回のトレーニングを目標にしたの。だから休みの日はほとんどジムに行ってるわ。エアロは三年ぐらい前からかな。秋にエアライン対抗の大会があるの、それに出ようかと思って。江波さんだってすっごく鍛えた身体してるじゃないですか」

「来年で四〇だからもうだめだよ。でも中年体型にだけはなりたくないんでね。エアロのことは全然わからないけど、どんな種目があるの？」

「私、ペア部門を狙《ねら》っているの。出る人少ないから」

「君とペアを組める幸運なやつは誰？」

「ＦＥの白石さん。ルックスもいいし。それに独身だし。ＣＡの中では人気ナンバーワンじゃないかな。江波さんもエアロをやればいいのに」

彼女はダンベルを元の棚に戻してタオルで汗を拭《ふ》いた。汗で首すじにまとわりついた、ほつれた髪の毛が魅力的だった。江波は彼女を誘いたい衝動に駆られた。自分だっていまは独身なんだとも言いたかった。

「それよりも、もしよかったら、今夜、食事でもどう？」

浅井夏子は振り返って江波の目を見た。

「今日このあとちょっと約束があるのよ。江波さんも前もって電話くれればよかったのに。デートならそれなりのおしゃれしてくるんだから。ごめんなさい、残念だけどもう行かなくっちゃ。じゃあ成田でね」

胸の前で小さく手を振ると、彼女はガラス越しの美しいシルエットとなった。四日前、ロンドンに来る前日のことだった。

＊

飛《た》び発ってから四時間半が過ぎようとしていた。夕陽に染まった飛行雲は短い白夜ののち、やがて朝焼けに燃える。この季節、極地近くを飛ぶ飛行機からは、西にあった太陽が北にまわっていくように見え、実際シベリア上空では北から太陽が射《さ》す。やがて太陽は飛行機を追い抜いて東に向かい、日本では南に位置して到着を待つ。だから到着まで完全に日が暮れることはない。

時速九〇〇キロでロシア領空に入った二〇二便は、高度指定がフィートからメートルへと変更され、重量も三〇〇トン近くまで軽くなっていた。まもなく二回目の巡航高度、一万一一〇〇メートル（三万六四〇〇フィート）に高度変更《ステップアップ》する時間となる。江波はロシアのシブカー・コントロールと交信し、モスクワの北東約一二〇〇キロのウカタ以降で上昇の許可を受けた。

エコノミークラスで映画を流し始めたキャビンでは、CAの半数が仮眠《レスト》に入ろうとしていた。ファーストクラスの後ろにあるバーカウンターで一息ついていた山本玲衣子は、エンジン音がかすかに変わり、気圧が変化するのを耳に感じた。

飲んでいたコーヒーを置くと、カウンターの下からバインダーに挟んだ運航行程表を取り出し、腕時計を見た。文字盤が二つついたその時計には、日本時間と協定世界時《UTC》の二つがセットされている。高度が変わったことと時間で、玲衣子は現在地を確認した。あと約一時間二〇分で、一番北極寄りの地点、北緯六五度五七分を通過する。まもなくあの雄大な流れを持つオビ川が下に見えてくるはずだ。窓の外をのぞきたかったが、すべてのシェードが降ろされているのでそれは無理だった。

乗客はなぜ大自然の美しさや偉大さを感じることを放棄して、いつどこでも見ることのできる映画を見るのだろう。そう思いながらカウンターに置いたコーヒーを取ろうとした玲衣子は、思わず手を止めてカップの中を見つめた。

コーヒーの中心から外に向かって、波紋の輪が広がっている。

「何を見ていらっしゃるんですか?」

振り向くとファーストクラスのパーサー、一ノ瀬かおりが立っていた。長い髪をすっきりアップにまとめ、細くて形のよい首と、背筋を真《ま》っ直《す》ぐに伸ばしたかおりは、いつも自然な気品を周りに漂わせている。

「お食事はどこで召し上がりますか？　用意はできてますけど。それから夏子さんたちのグループがレストに入られました」

「どうもありがとう。ギャレイで食べるわ。ちょっとコーヒーに、何でもない。じゃあ、食事にするからあと頼むわね」

玲衣子はコーヒーカップを手に、ギャレイに向かった。薄暗いキャビンは単調なエンジンの音だけが響き、それも耳慣れると寝息のように聞こえてくる。何の変化もない時間が過ぎていった。


映画が始まっても、トイレで用をたしている時も、新庄の頭の中は一つのことにとりつかれていた。寝たふりをしながら、頭の中はフル回転していた。

やはり俺が思った通りトイレが一番良さそうだ。中に化粧品の瓶が三本ある。両手に手錠はかけられていても、あれを武器にすることができる。トイレに行くときは一緒についてくる刑事も警戒して、拳銃《けんじゅう》をいつでも取り出せるように、ホルスターの止め金を外してドアの外で立っている。ありがたいことにあれなら奪いやすい。トイレの化粧品の中で一番アルコールの強いやつを、あそこにあった小さな紙コップにとる。

それを奴《やつ》の目にブッかけ、瓶で殴りつければなんとかなるだろう。
もう少しトイレの中を調べる必要がある。出入りのタイミングも計りたい。疑われずにあと二、三回は行きたいが、急に回数が増えるのも不自然だ。どうやったら奴に疑われずに何度もトイレに行けるかだ。

新庄はそっとあたりをうかがうと、また目を閉じた。

ここにいる奴らは誰もわかっていない。これからこんな映画より、はるかにおもしろいことが起ころうとしているのにだ。俺はな、おまえらウスノロ羊のような奴らは大嫌いなんだ。人生は緊張を持続して生きた奴だけが勝つんだよ。これからおまえらもたっぷり緊張させてやるからな。この飛行機が日本海に出たところで、舞台の幕が開くってわけよ。いくら鈍い羊さんでも南米へ行くにはな、成田より札幌が近いことぐらい知っているだろう。日本海へ出たらすぐに札幌へ直行させて燃料を入れる。機内の羊どもを制圧するには、やはり一発や二発は撃つ必要があるか。まさかそれくらいのことで日本海に不時着なんてことには、ならないか。考えておく必要があるかもしれん。これは長丁場になるな。南米に着くまでは二日や三日はかかる。なるべく体力をつけておくために食べておいたほうがいい。さっきもたくさん食べたが、あと一回食事のサービスがあるはずだ。三〇分ほどしたら、刑事に腹具合が悪くなったと訴えて、もう一度トイレに行かせてもらおうか。

新庄は笑いをこらえると、薄目を開けて手錠の下の腕時計を見た。

「L3《スリー》の吉田です。エコのお客様で、コクピットを見学したいという方がいらっしゃるのですが、今よろしいでしょうか。日本の方でお子様連れですが」

ビジネスクラスのパーサー吉田淳子は、朝霧機長の返事を聞いている間、じれったそうにインターホンの受話器を震わせていた。

「それでは二階客室《アッパーキャビン》の鈴木ひとみに連れていかせます。私はちょっとここを離れられませんので、お願いします」

ボタンを押して通話を切ると、不安そうな顔つきで立っている早川《はやかわ》さなえに受話器を渡した。

「私はすぐに行ってチーフに連絡するから、トミを呼んで、見学のお客様をコクピットにお連れするように言ってくれない」

淳子は暗いキャビンを目立たないように、しかし急ぎ足でメインギャレイに向かった。

「玲衣子さん、ちょっといいかしら？」

淳子はひとこと断ってから中に入った。カーテンが閉められたギャレイの中はコーヒーの香りがして、山本玲衣子が食事を終えたところだった。

「こんなこと初めてなんですが、先ほどR4《フォー》の早川さなえがトイレチェックに行って、トイレのごみ箱に救命胴衣《ライフベスト》が捨ててあったのを見つけました」

「ライフベストが？」

玲衣子は一瞬、どういう意味、という表情で淳子を見返した。

「どこのトイレ？」

「エコノミークラスDキャビンの左側です。ごみ箱が急にいっぱいになっていたので、おかしいと思って横のパネルを開けて調べたら、中に突っ込んであったと言ってました」

玲衣子はそこまで聞いても、まだ実感がわかないようだった。

「それは確かにこの飛行機のもの？」

「ええ、AV35なんです。そのトイレは一応故障ということにして、いま早川さなえがそばに立って、お客様には他のトイレをお使いいただくようにしています」

社内規定では個室内での犯罪及び事故防止のために、混んで行列を作っているときは別として、誰かが使用すると必ずトイレチェックを行うことになっている。汚れがないかを確認するだけでなく、トラブルがあった場合にどの乗客が最後に使用したかが、すぐに判別できるからだ。

玲衣子は折り畳み椅子《いす》から立ち上がった。紙コップをカウンターのくず入れに捨てると、ステンレスの蓋《ふた》をパチンと閉め、真っ直ぐ目を淳子に向けた。

「それらしいお客さんはわかっているの？」

「それが、わからないんです。エコで映画が始まって一時間ぐらい後から、ちょっと前までですから、その間の三〇分ぐらいだと思うんです。それまでは何でもなかったから。私もさなえもお客さまに呼ばれていて、サービスに出ていたんです。男の人がトイレから出てきたので、さなえがトイレチェックに行ったら、ライフベストを見つけたと言ってます」

「その男の人は？」

「乗客名簿《PIL》によると、ミスターA・C・マスード、国籍はパキスタンで三三歳。同じ会社の方と二人連れです。私がお聞きした限りでは、その方がトイレに行ったときには、すでにごみ箱がいっぱいだったとのことでした」

「ちょっと見に行くわ。目立たないように別々に行きましょう。先にお願い」

玲衣子は受話器を取り上げ、すべてのポジションに「トイレのごみ箱をチェックし、異常があったらL3まで連絡するように」と指示を出した。淳子は親指を立てて了解の合図を送り、カーテンを開けて左側通路に出ていった。

残り一三のトイレチェックが静かに開始された。一本目の映画が終わりスクリーンから画面が消えたのだろう、エコノミークラスのキャビンはまた一段と暗くなった。玲衣子は右側通路を静かだが、決然とした足どりで、Dキャビンへ向かった。


まだ一本目の映画が終わる前だった。暗くてよく見えなかったが、特殊旅客が一人で右側通路を歩いていた。レストから戻ったリサはそれを見たとき、息が止まりそうになった。そしてそのまま男の後ろ姿に吸い寄せられるように、右側通路に向かって歩き出した。その時チャイムが鳴った。リサは反射的に席に戻り、インターホンを耳にあてた。

チーフパーサーからのトイレチェックの指示だった。受話器を戻しながら後方のEキャビンを振り返ったが、すでにその男の姿は見えなかった。

リサはトイレチェックを終えて戻ると、異常なかったことをチーフパーサーに報告した。

「それから山本さん」

そこまで言ってから「いびき事件」が脳裏によみがえってきた。

「あの、いえ、別になんでもないんです」

本当に彼だったかどうかを確かめてもいない。よく似た人だったのかもしれない。もし違ったらなんと言えばいいのだろう。結局リサは何も告げることができなかった。

それでも気になって仕方がないリサは、特殊旅客がいる41J席のある右側通路に出た。暗いキャビンをその席に向かって一歩進んだとき、背後に誰かが早足でそっと近づいてくるのが気配でわかった。リサの全身に鳥肌が立った。

「リサ、ちょっとゴメン、コクピット見学のお客様をお通しして」

小学五、六年生くらいの子供とその母親を連れた鈴木ひとみだった。ホッとしたリサは、側《そば》を通り抜けていった母親と子供の姿を目で追いながら、自分の子供の頃の姿をそこに重ねていた。いつもあの子のように母親に手を引かれて歩いていたものだ。

「男の人は怖いからね、気をつけなさいよ」

母の口癖がいまにも聞こえてくるようだった。リサには同期のひとみのように、男性と二人だけで食事に出かけることなど、とても怖くてできない。何かとすぐにおびえを感じてしまう今日の自分には、ほとほと愛想が尽きる思いがした。

地球の反対側にある太陽の光が、北極越しに射し込んでくるコクピットに、ひとみが乗客を連れて顔を出した。

「キャプテン、見学の方をお連れしました」

朝霧はサングラスを外しながら、後ろを振り返り挨拶《あいさつ》をした。

機長の説明を小学生の子供が一生懸命聞いている。よほど飛行機が好きなのだろう、まぶしそうに目を細めて計器類を見ている。

「機長さん、この計器、Ｂ６《ビーろく》（ボーイング７６７）のと違うんですか？」

「Ｂ６のコクピット見たことあるのかい？」

「うん、Ｂ６はこの前――３００《ダッシュさんびゃく》のコクピットを見たんです。Ｂ４の４００は初めて。４００Ｄとはどこが違うんですか？」

「４００Ｄは国内線用だからね」

驚くほど飛行機のことを知っている。母親が隣から、もういい加減にしなさいと小声で注意した。

「いいんです。それよりずいぶん詳しいんだね、名前はなんていうの？」

「山田翔太です。ぼく、パイロットになりたいんです」

はっきりして元気がいい声だ。

「最近ますます夢中になってるんです。皆様にご迷惑をおかけして、すみません」

「いえ、かまいませんよ、それよりちょうどいい。あの先のほうに見える横に長い黒い帯のようなもの、わかる？　あれがエニセイ川。ロシアでも大きな川の一つだよ」

深緑のシベリア地方の中央を曲がりくねりながら流れるエニセイ川は、地平線から地平線へと消え、上流も下流も区別ができないほど長く大きい。しかもその両側にたくさんの三日月湖を従えているせいで、湖の連続のようにも見え、川幅すらもよくわからない。雄大なスケールが見る者を圧倒する。

「現在、このガラスの外の温度は、マイナス五七度です」

皆が景色を見ている窓ガラスを指して、朝霧が続けた。

「機内の温度がプラス二四度ですから、ガラス一枚を挟んで八一度の差があります」

「副操縦士のおじさん、ちょっと」

翔太は江波の耳元に真剣な顔をして近づくと、秘密を打ち明けるように小声で言った。

「この飛行機、ブーンって振動する音がするよ。すごく低い音だからママには聞こえないって。おじさんわかる？」

「飛行機は一機ごとに特徴があるし、この前翔太君が乗ったB6は双発だろ？　四発とは違う音を出すんだよ。声の高さだって大人と子供は違うだろう?」

「ふーん」翔太はうなずいた。「でも……これ、B6と同じエンジンでしょう?」

あとから入ってきた翔太の父親が、肩から下げた大きなバッグからビデオカメラを取り出して、さかんに景色を写していた。


Dキャビンのトイレはそのままの状態になっていた。ごみ箱には黄色いライフベストが無造作に突っ込んであり、それを隠すように、たくさんの紙屑《かみくず》が上に乗っている。

小泉由香が側に来て玲衣子に小声で話しかけてきた。

「山本さん。私、何かの足しになるかと、すべて写真に撮っておきました」

「ありがとう。誰も入っていないわね?」

「はい。私も、どこにも触っていません」

持って帰るのならまだしも、どうしてわざわざ捨てる?　玲衣子の疑問は大きく膨らんだ。

「一応コクピットに連絡入れて、状況を見てもらいましょう」

インターホンの呼び出しに応《こた》えたのは江波だった。

《どうしたの?》

「ちょっと変なんです。Ｄキャビンのトイレのごみ箱に、ライフベストが捨ててありました。いたずらにしては悪質すぎると思います。いますべてのトイレのごみ箱をチェックさせています。ライフベストがどの席のものかはわかっていません」
《ちょっと待って。いまお客さんが見学に来られてるので。もう一度、朝霧キャプテンに説明してくれる？》
すぐに朝霧の声に代わった。玲衣子はもう一度状況を説明した。朝霧は見学者に聞こえないように、リップマイクを手で押さえているのだろう、くぐもったような低い声で返事を返してきた。
《了解、あとで鈴木さんにメモ持たせるから、その通りにお願いする。まもなくレスト交代だろ？　代行は誰？》
「浅井夏子です。私も残りましょうか？」
《いや、大丈夫だろう。何かあったら知らせるから》
「わかりました」
インターホンを切ってしばらくすると、玲衣子のところにひとみが緊張した顔つきでメモを持ってきた。
【コクピットの見学者を、すぐに席へ連れ帰るよう鈴木さんに指示すること。いたず

らとは思うが、一応江波君を見に行かせる。現場を保存すること。浅井さんと交代するときには連絡のこと。朝霧】

エコノミークラスのギャレイの電球の下でそれを読んだ玲衣子は、すぐにひとみをコクピットに戻した。入れ違いに夏子が顔を出した。

「聞いたわ。でもただのいたずらじゃないの？　他のトイレは、どう？」

「いま調べているところよ。コクピットに連絡してくれって」

「了解。どうぞお休み下さい。今すぐどうのって問題じゃなさそうね。何かあったら遠慮なく起こさせていただきますから」

夏子が玲衣子から渡されたメモを見ながら答えた。

＊

身をくねらせる官能的な踊りが過ぎると、激しいサルサのリズムに乗ってきらびやかに飾った裸の踊り子たちが舞台に流れ込んできた。歓声と拍手が沸き、あちこちで口笛が鳴る。観客がリズムにうねる。

ホセ・サントスはカルタヘナのナイトクラブ、ラ・バラカの二階に作られた特別席からショーを見下ろしていた。招待したビジネスマン二人と一緒だった。二人はタナカに頼まれた日本企業の人間だった。彼らは初めてコロンビアにきたと言っており、初めは固くなっていたが、しだいに気分が高まってきたのだろう、まずラム酒が二人の背広を脱がせることに成功した。そのうちネクタイを外し、今ではワイシャツの腕をまくって、周りの騒音にも負けない大声で日本語をしゃべっている。

ホセの両側にぴったりと寄り添っているのは、弾よけにはべらせている二人の美女たちだ。

ホセは誰にも気づかれないようにそっと腕時計を見た。九時を少しまわっている。

——まもなく始まる。

新しく開発したアジア・ルートで相手方の信頼を得るには、取引商品《マーチャンダイズ》が約束した日時に確実に着くという実績が必要だった。今回、ロシアがこちらの申し出に応じてくれたことで本当に助かったが、これで一つ借りができたことにもなった。

今後のことを考えると、先方の元大佐という人物と親しくなっておくのも悪いことではない。これを機にロシアにもルートが開けるかもしれない。

天井を見上げたホセ・サントスの頭の中に、白く細い飛行雲が浮かんだ。それはシベリア上空を飛ぶジェット機のものだった。ホセはグラスを持ち上げると腕を伸ばし、空に向かって乾杯をした。二人の日本人は慌《あわ》ててそれにグラスをあわせたが、ホセの「アディオス！」という言葉はサルサにかき消されて聞こえなかった。

＊

ビジネスクラスでキャビンの呼び出しチャイムが鳴った。トイレの横にいた吉田淳子はいやな予感がした。長年ＣＡをやっていると、同じチャイムの音でもそれが読めるようになってくる。

淳子がカーテンを開けてのぞくと、やはり25Ｆのトラブルパッセンジャーからだった。すぐにその席に向かおうとしたが、途中で中年の婦人に呼び止められた。眠れないのでブランデーをたらした紅茶が欲しいという。淳子は笑顔ですぐにお持ちしますと答えると、急いで25Ｆの座席に向かった。しかしすでに遅く、男性の怒鳴り声が聞こえてきた。ビジネスクラスのサブ、天野照子《あまのてるこ》が応対に当たっている。

「こんなに人を馬鹿《ばか》にしたサービスをするところはおまえんとこだけだ！」

「パーサーの吉田です。何か失礼がございましたでしょうか」

「失礼だと？　呼んだらすぐ来るのがおまえの仕事だろ。それともなにか、客をさんざん待たせるのが仕事か？　俺は世界中の航空会社を利用しているんだよ。ＪＡＬなんかな、俺の顔見ればいつでもファーストクラスにアップグレードなんだ。これでもサービスのつもりか。おまえんとこは本当に二流だな」

そう言いながら財布を広げ、たくさんの航空会社のカードを見せつけた。淳子はじっとこらえて心の中で返事をした。

はい。航空会社が一流か二流かはご利用下さいますお客様によって決まります。

「おい。二流会社ってのは、人の飲みかけのワインを客に出すのか。何だこれは」

視点のあやふやな目とおぼつかない指で、照子の持っているワインボトルを指さした。

「誰かが半分飲んだものだろ。一杯目はグラスで出されたからわからなかったが、二杯目を頼んだらこれだ。人が飲んだカスを俺は飲まされたんだ。こんな侮辱を俺は受けたことがない。実に不愉快だ」

「お客様、これは他のお客様の残りということではございません。ビジネスクラスではグラスワインのサービスになっておりますので、お好みのワインをフルボトルからサービスさせていただいております。エコノミーではミニボトルでのサービスですが、それではワインの味はお楽しみいただけませんので、このようにさせていただいております」

淳子はじっくりとその乗客を観察した。ワインがグラスサービスであることぐらいこの乗客は充分承知している。騒ぎを起こすのが目的なのだろう。ビジネスマンらしくストライプのシャツに地味なネクタイで、少し飲み過ぎであることは、顔色とゆるめたタイの曲がり具合からもうかがい知れた。

「それにしても、ろくなワインが置いてねえな。何だこれは？　ひでえ味だ」

酔っているとはいえその態度は実に横柄《おうへい》で、周りの人の眉《まゆ》をひそめさせた。

「そんなにひどい物は置いてないはずなのですが。大変失礼いたしました」

「トイレで吐き出そうと思ったら、ここのトイレはいったい何だ？　紙は散らかっている、ペーパータオルは入っていない、石鹸《せっけん》も香水のたぐいもない。いったいなんで手を拭《ふ》けっていうんだ？　壁にでも擦《こす》りつけるのか？　あんなに汚いトイレなら新宿の公衆便所のほうがまだましだな」

「あの、お客様がいらっしゃる前に私がチェックしまして、異常はなかったのです」

たまりかねたように照子が釈明した。

「おまえは俺が嘘《うそ》を言ってると言うんだな。そのセリフよーく覚えておこう。客に向かってよくそんなことが言えるな。名前はなんというんだ」

顔を真っ赤にしてよろめきながら立ち上がり、照子の胸についているネームプレートをつかんだ。その拍子に彼の手が彼女の胸に触れたのだろう、照子は小さな声でキャッと言って体を震わせた。

「社長に言っておまえをクビにしてやろうか。俺がひとこと言えばなあ、おまえの会社なんかすぐにつぶせるんだ」

立ち上がると、思っていたより背は低かったが、相変らず声だけは大きい。淳子はなんとかなだめようと照子と乗客の間に割って入った。周りの乗客が振り返ってこちらを見ている。

「どのトイレでしょうか」

「あそこのだ」指さしたのはCキャビン前方のトイレだった。

「申し訳ありません。すぐに調べてまいります」

問題のそのトイレはきれいになっていて、紙屑一つ落ちていない。すぐに照子が来た。

「吉田さん、先ほどあの方が行かれたあとにトイレチェックをしました。紙が散らかっていてひどい状態でした。でも、その直前にライフベストの件でトイレチェックをしたんです。その時は何でもなかったんです。あの方が故意に散らかしたとしか考えられません」

いまにも涙があふれそうだ。

「わかってるわ。説明しても納得されないでしょう。また文句をつけて、降りてから会社に慰謝料やタクシー代を請求するつもりなのよ。ごみ箱から紙を出して何か捜し物でもしたのかしら。私が聞いておくから、あなたは30Eの女性のお客様に紅茶とブランデーのミニボトルをお願い、金のネックレスに薄いブルーのブラウスの人よ。紅茶に入れるそうだからグラスはいらないわ。それと暇なときにいま起きたことをメモして、時間もね。クレームを上げられたとき、役立つから」

「はい。すみません」

淳子はブドウの房の形をしたソムリエのバッジをポケットから取り出し、鏡を見ながら制服の襟に着けた。ファーストクラスがある便には、必ずソムリエの資格のあるCAが乗務することになっている。二〇二便では玲衣子と淳子がその資格を持っていた。

25Fの乗客のところへ戻って会社宛《あて》のクレーム用紙を渡し、あらためてお飲み物のリクエストを聞くと、まだ他人の飲み残しのワインを飲ませようというのか、とっとと水割りを持ってこいとわめく。

バーボン、カナディアン、スコッチ。各種のウイスキーボトルの並んだカートを引き出した淳子は、わざわざその乗客のところまで押していき、目の前で水割りを作って渡した。今度は飲み残しのウイスキーで水割りを作ったとは言わせない。しかしごみ箱から紙を出して捜し物をした理由を、淳子はこの乗客に聞くのを忘れた。

ファーストクラスの呼び出しチャイムが鳴った。３ＡＢはステイタスＣ３（社内取扱ＶＩＰ）、テイラー・コーポレーション会長夫妻の席だ。ファーストクラスのバーカウンターにいた一ノ瀬かおりは、手にしていた免税品リストを下に置くとその席に駆けつけた。

「ミセス・テイラー、いかがなさいました？」

かおりは椅子《いす》の脇《わき》で腰を落として話しかけた。夫が薬を飲むのでミネラルウォーターが欲しいという。水を持っていくと、「少し風邪気味なので」とかおりに説明してから、薬と水をテイラー氏に渡した。

上品で人なつこそうな夫人は退屈していたとみえ、うれしそうに笑って小声で話し始めた。夫は若い頃、太平洋戦争直後の立川に三年間駐留していたことがあり、それ以来初めて日本を訪れるのだという。

沖縄の嘉手納《かでな》基地にいた一人息子は、ベトナムで戦死した。息子は日本人と結婚したという手紙をよこしていたが、軍にも日本にもその記録はなかった。しかし夫妻はどうしても息子の結婚のことが気になって、最近になってから人を雇ってもう一度調べ直させていた。

それから二年半。亡《な》くなった息子には娘がいて、いまも健在らしいという連絡を二日前に受けた。ヨーロッパ旅行中だった夫妻は、急遽《きゅうきょ》日本に来ることになったという話だった。

夫人はハンドバッグから少し色あせた写真を取り出し、かおりに見せた。ファントム戦闘機をバックに、若くハンサムな青年が微笑《ほほえ》んでいる。その青年は夫人と同じように長いまつ毛を持っていたのが、かおりには印象的だった。

ロンドンを飛び発《た》ってからすでに五時間半。暗いキャビンは疲れて気怠《けだる》い雰囲気に包まれていた。半数以上の乗客は眠りについている。

玲衣子に指示された鈴木ひとみが、見学の親子を連れてコクピットから出ていくと、すぐにインターホンが鳴った。夏子がこちらに来るという連絡だった。

「いや、僕がいまからそっちに行くから、Dキャビンのトイレのところにいてくれない？」

《わかりました》

江波はシートベルトを外し、椅子の電動スイッチに手をかけた。それが合図のように、朝霧が機長席左のパネルにある収納場所から、酸素マスクを取り出した。高高度を飛行中、一名のパイロットが席を離れるとき、操縦にあたるパイロットは、万一の急減圧に備えて酸素マスクを着けなければならない。

「客室部がいくら偉そうなことをいっても、困ったときのパイロット頼りか」

朝霧はそれだけ言うと、ヘッドバンド部分の圧力を抜く音をさせ、酸素マスクをつけた。

「では、ちょっと見てきます」

江波が立ち上がると朝霧はこちらを振り向き、親指を立ててOKのサインを送ってきた。フルフェイスマスクの中の目が穏やかに笑っていた。

エコノミークラスでは二本目の映画はまだ始まっていなかった。操縦室から暗いキャビンに入ると、目が慣れるまでほとんど何も見えない。

足元がおぼつかないと見たのだろう、レストに入った鈴木ひとみと交代した松本《まつもと》みどりがすぐに江波のところまで来て、一階客室に通じる階段のところまで先導してくれた。礼を言って下に降りる。しかしDキャビンに行く途中で二度も乗客から話しかけられ、着くまでに七分もかかってしまった。

「江波さん、あれから二つ見つかりました。一番後ろ右側の二つのトイレです。二つとも紙袋に入っていたので、見ただけではわからなかったそうです。他はノーマルでした」

玲衣子が、江波が着くなり報告してきた。

「いま夏子がそっちに行ってます」

江波はどこにも触れないようにしながら、ごみ箱の奥までライトで照らして調べた。

「なぜこんなことしたんだろう。何か外されたような跡もないし。いたずらかな？」

「私も初めはそう思っていたんです。でもEキャビンのトイレのライフベストが、二つとも紙袋に入っていた、というのは何かおかしいと思いません？」

「ただのいたずらではなさそうだな」

「私もそう思うの。気味が悪いわ」

「キャプテンと相談しよう。いっぺんに動くとお客さんに誤解されるから、五分後にコクピットに来てくれない？　山本さん、本当はレストの時間だよね」

「ええ、でもかまいません。夏子も一緒のほうがいいでしょう？」

「そうだな、二人でわからないように来てよ」

玲衣子と夏子は別々にコクピットに入ってきた。玲衣子はトレイにコーヒーを四つ載せて、夏子はバインダーを脇に挟んで。

朝霧がまず口を開いた。

「さて、どう思う？　いたずらか、それとも犯罪に類することか。相手は複数である可能性も考えられそうだ。後ろの二つのトイレも、同じ時間にやられたのかな？」

「そう思います。それまでは何の問題もなかったと報告を受けていますから。あのときエコノミークラスはDキャビンに早川さなえ、Eキャビンを小泉由香が担当していましたが、二人が同時にお客様に呼び出され、そのあとCキャビンの吉田淳子は早川さなえに呼ばれて、Eキャビンに行っていたそうです」

「どこの席のお客さんから？」

「早川さなえは、さっきコクピットに見えた方から呼び出されました。あの子がこの飛行機の音がどうのとか言って。コクピットの見学の件で吉田淳子がすぐあとから追いかけました。一番後ろのL5にいた小泉由香は、呼び出しチャイムが鳴ったので、前へ歩いていったらしいのです。でも途中で呼び出しライトは消えたそうです。たぶんお客様が間違って操作されたのだろうと思い、席に戻りました。呼び出しライトの席は53Gあたりでしたが、映画のため暗くしていましたので、はっきりわからなかったと言っています」

「たまたまの偶然かもしれないし、チャンスを狙《ねら》っていたという可能性もあるわけだ」

「はい。53座席近辺の内側席は、乗客名簿《PIL》上、空席になっています」

玲衣子の説明に夏子が続きを加えた。

「今日は空《す》いていますから、他の席から移動されて、四席使って横になっているお客様がいらっしゃいます。お名前は特定できませんでした」

「しかし、目的は何なんだろう。ライフベストを持っていったというのならわかるんだけど、わざわざ座席の下から出して捨てるかな」

江波が疑問を投げかける。朝霧は、サングラスを外しながら振り返った。

「山本さん、どうも単純ないたずらではなさそうだ。サービスは少し遅れても、そのトイレに見張りを置くようにしてくれないか？　全員のレストが済むまでは」

「わかりました。すぐに手配します。ライフベストを持ってトイレに行くなんて、おかしいですよね。かなりかさばるし、目立つ黄色でしょう？　大きなバッグを持ってトイレに入るだけでも不自然なのに」

「だから暗くなったときを選んだのよ。いつCAの数が少なくなるかを知っていて、ちょうど交代時間に合わせたんだわ。玲衣子さん、これ、飛行機のことにかなり詳しい人の仕業ね」

「それならトイレチェックが行われることも、当然知っているはずでしょう？　トイレチェックをしない航空会社もあるのに、なぜわざわざうちを選んだのかしら」

玲衣子の疑問にしばらく沈黙が続く。夏子が思いついたようにしゃべり出した。

「仮に考えてみてくれない。ライフベストは緊急用品でしょう。だから、もしもよ、もしもこの飛行機が着水でもした場合、その席のお客さんはライフベストがないから、ほぼ確実に死ぬわよね。殺そうと思っている人の席から、ライフベストを取って捨てる。そして飛行機が着水するような仕掛けをする。どう？」

「だけどヨーロッパ線の飛行ルートはほとんどが陸地だよ。この先の海は日本海だけだ。それに、そんなに面倒でリスクのあることとするかな？」

江波はそんなことあり得ないという表情で首を横に振った。

「では、日本海に安全に着水させるようにするには？」

夏子が真剣な顔で聞き返す。

「そうだな、理想的な着水の条件はというと、まず海水温が暖かいこと、岸のすぐそばで波が穏やかであること、昼間で天気がよいこと、乗客が少なく機体が軽いこと……」

そこまで言って江波は黙った。

「この便、その条件にすべて合っているじゃない。じゃあこの便を着水させるには何をすればいいの？」

「燃料をなくす」江波は静かに答えたが、すぐに疑問を付け足した。「でもどうやって？」

言い終わらないうちに衛星通信回線《SATCOM》を通じて、ロンドンからのメッセージがプリントアウトされてきた。江波はそれを切り取ると機長に渡す。朝霧はじっと目を通していたが黙って江波に返した。

【二〇二便、機長宛。二〇二便搭乗の特殊旅客に関して、護送刑事に以下のことを伝えられたし。スコットランドヤードよりの連絡。特殊旅客に対し不穏な動きをする可能性ありとの情報が入った。現在その信憑性《しんぴょうせい》を確認中なるも、成田到着の際は充分注意をされたしとのこと。ロンドン・ディスパッチ、前島】

その場にいる者で回し読みをした。しばらくは誰からも言葉が出なかった。地上からのこの種の連絡については、各セクションがそれなりの〝配慮〟をするのが常で、実状より穏やかな情報となって届く。クルーには周知の事実である。感熱紙を手にしている夏子に視線が集まる。それに応《こた》えるように口を開いた。

「やっぱり殺人計画なのかも。刑事さんはエコ（エコノミークラス）だから、私がこのメッセージを伝えましょうか？」

夏子は朝霧に感熱紙を手渡しながら訊いた。

「不穏な動きというだけでは、何のことだかさっぱりわかりませんね」

「成田到着の際というのは、降機後のことを意味しているのかしら？」

三人が朝霧に注目する。

「まあ、すぐに考えつくのは飛行機を爆破することだろうが、英国の空港警備状況からしてそれはちょっと考えられない。ロンドンから機内に爆発物を持ち込むのは不可能だよ。たとえ何か細工をして飛行機を着水させようとしてもタイミングが難しいし、犯人が機内に残る必要があるだろう。犯人自身の身にも危険が及ぶことになる。このこととライフベストの件は関係ないんじゃないだろうか」

この時四人の頭には同じ問題が浮かんでいた。最初に江波がクルーバンクに目を向ける。

「起こしますか？」

「よしたほうがいいんじゃないの？　いまタヌキが出てくると、スミマセン、あのぉ、砧機長がいらっしゃると問題が大きくなって、かなり混乱すると思うんですけど」

玲衣子も、夏子の意見に賛成した。砧機長の機嫌の悪かったことを考えると、ＣＡが二人もコクピットに入り込んでいる時に、来てもらうのはまずいのではないか、と言うのが理由だ。

「夏子が刑事さんにメッセージ渡したあとの、その後の様子で決めたらどうかしら？」

「でも、メッセージは機長あてだよ」

砧はちょうどレストの真ん中だった。いま起こしたらもう休めなくなる。しばらく様子を見たうえで、その間に刑事の要請があったら、起こしたらどうかということでまとまった。

「夏子、刑事さんの席に行ったら、そこの三席にライフベストがあるかどうか確認して知らせてよ、ここにいるから」

夏子は朝霧から感熱紙を受け取ると、キャビンに戻っていった。

　しばらくしてインターホンの呼び出しがあり、江波の耳に夏子の緊張した様子の声で連絡が入った。

《江波さん、刑事さんたちの席のライフベストはちゃんと椅子の下にありました。刑事さんも特殊旅客の方も、たぶんトイレだと思います。いらっしゃいませんので、私はこのままここに残るとCPにお伝え下さい》

　江波は朝霧と玲衣子に伝えた。

「いますぐ何かが起こるということもないだろう。とりあえず刑事さんに連絡するとして、この件は他の娘《こ》にはまだ知らせないでくれ。山本さんはレストに入ってかまわないよ。まもなく成田に通信を送る地点だから、一応このこととライフベストの件は成田に伝えておく。あんまり心配しないでいいよ。何かあったらすぐに知らせるから」

　朝霧にそう言われて玲衣子もキャビンに戻った。エコのキャビンでは二本目の映画が始まっていた。クルーたちの焦燥をよそに、脳天気なハリウッド製のコメディであった。

3　混　乱

山本玲衣子はＣＡ用クルーバンクに入ったが、ロンドンからのメッセージが気になって、寝つけなかった。

不穏な動きとは何を指すのだろう？　特殊旅客を殺そうということか。ハイジャックの計画でもあるのだろうか。ライフベストを三つもトイレに捨てなければならなかった理由は何か。捨てられているライフベストがまだあるのではないか？　ギャレイの中のごみ捨てはまだチェックしていない。レストが終わったらすぐに調べてみよう。後ろの二つは紙袋に入れて捨ててあったのに、Ｄキャビンのほうはよほど慌《あわ》てていたのだろうか。

ほかにも寝つかれない理由があった。枕《まくら》を通していつもより大きい振動が伝わってくるような気がするのだ。コーヒーに波紋が起きていたことも思い出した。もっとも振動によって発生するコップの波紋は、他の機内でも見たことがあったのだが。

壁に触れてみたが変わった振動も感じられなかった。玲衣子はつまらないことが急に気になって、眠れなくなることをたびたび経験していた。神経が高ぶっているときには特にそうだ。枕の位置と体の向きを変えて、ベッドのベルトを調節したりしながら寝ようと努力したが、時間だけが過ぎていった。

刑事へ連絡を済ませ、メインギャレイに戻った浅井夏子は、壁のボードに書かれているサービス状況に目を通すと通路に出た。ほとんどの乗客の行動は把握しているつもりだったが、今日は逆に自分の動きが監視されているような気がしてならなかった。写真週刊誌がタレントの菅野研一との親しげな場面をスクープ記事にしたので、それが格好の話題となっているらしい。あのときは「そんな関係ではない。単なる友人だ」と何度も否定したが、一度書かれるともう止めようもなかった。夏子が通り過ぎると必ず「あの人よ」などと言うひそひそ声が聞こえてくる。不愉快な表情を出さないようにしながら、暗いキャビンをゆっくりと巡回した。

どう考えても、ハイジャックや殺人をするような乗客がいるとは思えなかった。心配性の山崎リサが、特殊旅客の態度を気にしていると青木佐知子が言っていたが、誰だって護送されてゆく際には、リラックスできないのは当然だろう。

他の乗客はいつも通りだ。二組の団体客と安売り切符の旅行者たち、新婚旅行とみえる若いカップルが数組、女性だけのグループが四組だった。そういえば一人行儀の悪い日本人がいた。ちょっとひねくれた感じの学生だ。話をするときに相手の目を見ない、体はたえず動かしている。姿勢が悪い。食べ物は散らかす。すべてが自己中心的で、周りのことに気を遣う謙虚さは一切ない。ＣＡが嫌うタイプの乗客だ。よほど甘やかされて育ったのだろうが、ヨーロッパでこの手の甘えは通用しない。「そんな態度で旅行は楽しめたの？」と夏子は訊《き》きたくなった。

旅慣れた乗客は、食事が終わるとすぐに、空いている四人掛けのシートに移って横になる。長時間のフライトには確かにそれが一番楽かもしれない。だがその姿勢ではシートベルトを締めていられないので、突然乱気流に巻き込まれたときには、怪我《けが》をする可能性が高い。楽ではあっても航空関係者が決してしないことの一つだった。

太平洋上で起きたユナイテッド航空の乱気流事故は記憶に新しい。その一時間前に同じルートを飛んだニッポンインターのハワイ行きは、レーダーで雲を避けながらのかなり厳しい飛行を行ない、揺れはあったがなんとかサービスはできたと聞いていた。それが怪我をするほどの乱気流に激変したのだ。あれだけ新聞で騒がれたというのに、この便の乗客はそういうことには無関心なのだろうか。ユナイテッドの事故では怪我をした乗客のほとんどが、シートベルトを締めていなかったという。確か、最後列にいた人は死亡したはずだ。この便にも一番後ろの席で、ベルトを締めずに横になり、眠っている乗客がいる。三〇代半ばでショートヘアの女性だ。

横を通りかかったとき、夏子は一瞬立ち止まってその女性を見てしまった。夏子はいつもジムで体を鍛えているので、同類を見逃すことはまずない。首から肩にかけての線、張りのある皮膚。鍛えられた体は何を着ていても、線となって、影となって、あるいは筋肉のやわらかい動きによって、その存在をアピールする。上にかけているサマーコートのかたちから見ても、彼女は美しくシェイプアップされた体の持ち主であることを、疑う余地はなかった。それを隠すような、地味で目立たない格好が妙に不自然に映った。他社のCAかもしれない。彼女の靴とバッグを見てふとそんな考えが頭を横切った。

ライフベストを持ってトイレまで行き、CAたちに気づかれずに元の席に戻れるのは、かなり限定される場所のはずだ。夏子は実際に早足で歩いてみることにした。

通路がすいていれば、エコノミークラスの後ろ半分の座席なら可能だろう。後方のトイレではEキャビンの58座席列より後方の席に、最初に見つかったDキャビンのトイレは39座席列から前方に、犯人がいたことになる。

夏子はキャビンを一周すると、CA用のアテンダント・シートから、スペアのライフベストを持ってきた。カーテンを閉めたメインギャレイの中、リーディング・ライトの光の下で、マジックテープを外して黄色い袋から中身を取り出した。いつも見慣れているものだ。ざらっとした手触りのビニール製で、背当てに会社のマークと着用法、型式番号、製造会社名、検査年月日などが黒い文字で印刷されている。特にこれといった特徴はない。

何か取り外されていなかっただろうか。しかしこればかりは、捨てられていた現物をよく調べないとわからない。

次に乗客名簿《PIL》を確認した。殺人計画は除外して考えてみる。ライフベストは一つの座席に一組しかない。三つ捨てられていたということは、三人の人間が関わっている可能性も高い。三人連れの乗客。空いているのに、窓際《まどぎわ》の三人席に三人で座っている乗客。名簿にはそのような一二の名前が書かれていた。しかし到着後に調べれば、なくなっている席はすぐにわかるし、ＰＩＬと照らし合わせれば、誰がやったかすぐに露顕するはずだ。そんなことを犯人がするはずがない。

やはり本当に殺人計画があり、特殊旅客以外の誰かが狙われているのかもしれない。あの席にライフベストはちゃんとあったのだから。

最後にトイレを出たというミスター・マスードの座席番号を調べてみた。58座席列より一列前の57B。

ミスター・マスードはどうなの？　彼は殺す側だというの？　殺される側なの？

夏子は混乱した。改めて考えてみると、飛行機に細工をして着水させるという殺人計画には、あまりにも現実味がないとも思った。

いまはライフベストの件のみを、不具合箇所として業務日誌に記入するにとどめた。

会社で決められた位置通報地点には一五分早かったが、江波は状況を報告することにした。ＳＡＴＣＯＭを通して、位置通報に加えて以下のメッセージを通報した。

①ロンドンからのメッセージを了解した。

②ライフベスト三着が機内に捨てられている。いたずらと思えぬ節あり。現在調査中である。

しばらくして、成田からのメッセージが送られてきた。

【了解、ライフベストの件、詳細連絡待つ】

位置通報地点を過ぎた時点で、江波のレスト時間になっていたが、砧機長は現れなかった。さらに五分が経《た》って、悠然と現れた。

「江波君、ご苦労、交代だ」

江波は申し送り事項を述べた。ロンドンからのメッセージとライフベストの件を最後に付け加える。

恐れていた反応は瞬時に起きた。茶色く光った頭皮が、紅に燃えあがった。

「なに？　俺を起こさないでどういうことなんだ。会社はこういうときに機長を査定するんだ。まさか怖《お》じ気《け》づいたような返事は送らなかったろうな」

「はい。送っていません。刑事さんからも何も言われてませんし」

「それならいい。あいつら責任逃れでこういうものを送ってくるんだ。一応機長に知らせましたってな。シベリアの上で俺たちに何ができるってんだ。……それにだ、本当に危ないときには何も送ってこないもんだ。どんなことがあっても平気な顔をして飛ぶ。それが機長だ」

「はい」

江波が素直にうなずき続けていたためか、砧の機嫌はすっと良くなった。

「残るはライフベストの件だけです」

「ライフベストは、そりゃ、いたずらに決まってるだろう。釣りでも行くのにあんなのが欲しくなって、取り出してみたんだな。あとで税関に引っかかったときのことを考えて、怖くなって捨てたんだろう」

「三個も捨てられていたのが気になるんです」

「三人で酒でも飲んで気が大きくなった、そんなとこだ。何がそんなに心配なんだ?」

「紙袋に入れて隠すように捨ててあったので、計画的な感じがします。ロンドンからの連絡もあり、そもそもライフベストは緊急装備品の一つでもありますから、一応リポートしておきました」

　紅のタヌキに戻った額に、青い血管が二本加わった。

「そんなことを会社に知らせたのか。機長の私の承認なしに行っては困るじゃないか。まったく君も気の小さい男だな」

　朝霧機長が助け船を出してくれた。

「一応あの時点の機長は私でしたので、私の責任で行ったんですが」

「しかし、そのような軽はずみな行動を取られては、大いに迷惑ですね。東京に着いたら、君の責任で報告したと、はっきりと書面に残して下さいね」

「そんな報告用紙、会社にはありませんよ」

「しかしね、この便のＰＩＣはわたし！　この私なんですよ。下らんことで会社から何か言われたんでは困るんですよ。あなたはＳＩＣですよ。この件に関してだけは、私の責任ではないことを、あなたから部長と室長と管理室長と、できれば本社の勤労課にも報告してもらいます」

「わかりました」

朝霧は事務的な様子でうなずいた。

SATCOMを通じてACARSからメッセージがプリントアウトされてきた。

【ライフベスト紛失の件、過去三ヶ月間での発生状況は以下の通り】

羽田　三月三日八六便一個。五月一六日五二便二個。

伊丹《いたみ》　三月一日七九便三個。三月一〇日五〇六便二個、三月二〇日七九便三個。

四月二六日一〇八便一個。五月三日……

成田　三月一日二〇二便三個、ライフベストがゴミと一緒に捨てられていたのが後日判明。

三月一八日九一六便三個、三月二〇日二〇二便一個（これも捨てられていたのが後日判明）

沖縄　四月一二日八五便三個。五月一二日八九便一個。

「君らがくだらんことするから、見ろ、下では大騒ぎになってるじゃないか。会社は私が騒ぎを起こしたように思っているんだ。すぐにいたずらだったと書いて取り消すんだ。いいな。ライフベストの持ち出しは昔からあるんだ、君らはそんなことも知らんのか。まったく。このままでは、私は笑い者になってしまう」

紅のタヌキは感熱紙を丸めて、不愉快そうにごみ箱にたたき込んだ。その額には一段と太く血管が浮き上がっていた。

「いまごろ、騒ぎが大きくなっていると思うと不愉快極まる。君らは、なぜ私の足を引っ張るようなことを平気でするんだ」

「機長の足を引っ張るなんて、とんでもないです」

「出世する男は、くだらんリポートなど書きませんよ」

こめかみだけをピクピク動かしていたが、そのまま窓の外に目をやると、砧は黙り込んでしまった。江波は慌てて指示通りに返信した。

【朝霧機長が問題視したライフベストの件は、いたずらと判明した。二〇二便機長、砧道男】

やっとクルーバンクに入ることができた江波のレスト時間は、あと一時間四〇分しか残っていない。「爆破」の可能性を検討し始める。眠れるわけがなかった。

エコノミークラスでは、睡眠中の乗客のために、映画が終わってもしばらくの間はキャビンを暗くしたままにしておく。青木佐知子はリサから特殊旅客がまた一人で歩いているとの連絡を受けて、特殊旅客と刑事のいる席に飛んでいった。41Ｊの席には飲みかけのコーヒーが置いてあるだけで、また二人ともいなかった。

よくトイレに通う客だ。どこか具合が悪いのだろうか？

Ｅキャビンに向かうとリサがＲ４のポジションにいた。佐知子に気づくなり後方トイレの前に立っている刑事を目で示しながら、さっきからあそこにいますと小声で報告した。

要領を得ないので詳しく聞いてみると、どうやらリサは勘違いして、刑事と特殊旅客をずっと取り違えていたらしい。

容疑者である特殊旅客のほうが落ち着いているようにみえたので、リサが間違えるのも不思議はなかったが、受け持ちの乗客に関してこのように重大な間違いはあってはならない。青木佐知子はリサに充分注意したが、このまま任せておける状態ではないので、成田まで自分とリサのポジションを交代する許可を、チーフパーサーに頼むことにした。

それでもまだ佐知子は落ち着くことができなかった。なぜだろう。

その時はっきりと視線を感じた。顔を上げると、暗いキャビン中央付近ですっと、こちらを避けるように前向きに戻る目を捉《とら》えた。一瞬だった。

何かがおかしい。乗客が私たちを探している視線ではない。あの横顔は？　さっき通路ですれ違った女性か。

リサに呼ばれて特殊旅客のいるDキャビンに向かう途中だった。髪の長い女性が通路を向こうから歩いてきたので、二、三歩進んだところで横に避け、通り過ぎるのを待った。そう、彼女の態度がなぜか気になって頭に残っていたのだ。思わぬ方向から私が近づいて来たのを見て、慌てて通路に出たのではなかったのか。あのときリサは持ち場を離れていたから、Dキャビンに髪の長い女性は他にいなかったように思う。

インストラクターとしての長年の経験が、彼女に異常を訴えていた。シートナンバーを確認しようとしたが、その女性はすでに暗いキャビンに溶け込んでしまっていた。

ＣＡたちのレストが終わるとすぐに、すべてのステーションで白い小さなライトが点滅し、インターホンのチャイムが鳴った。チーフパーサーからのオールコールである。眠気はいっぺんに飛び去り、ＣＡたちは一斉に受話器を取り上げて耳にあてる。

レストを終えた山本玲衣子が全CAに対して、ライフベストについていままでの経緯を説明したのだ。

《お客様にわからないように、それとなく探して下さい。特に問題のあったエコノミークラスのシートを。収納場所からライフベストが取り出された場合には、皆さんご存じのように赤いリボンが垂れているはずです。キャビンが明るくなったらその点を見逃さないように願います。他のクラスでは通路を歩くときは各シートに注意し、収納ケースに異常がないか見落とさないようにお願いします。そのほか、気づいたことがあれば、各セクションのパーサーに連絡をお願いします。これからカテゴリー2に準じて探索を行いますので、各自パーサーより探索カードを受け取って下さい。以上です》

《L2了解です》

《L3了解です》

《L4了解です》

《L5了解です》

《R1了解です》

暗いキャビンの中で天井の物入れやコートハンガーなどが、枕《まくら》や毛布を出し入れしながら、チェックされた。すべてのギャレイのごみ箱が棚の下から引き出され、中のビニール袋が調べられた。しかしライフベストは出てこなかった。さすがにギャレイの中まで入っては来られなかったとみえる。

カテゴリー2の探索で見つからないということは、いままでのところ、捨てられたライフベストは三つだけらしい。機内で誰にも気づかれずに物を捨てるということは、やはり至難の業なのだ。機内は完全な密室なのだから必ずどこかに存在する。トイレは空気洗浄式で、異物を流すことはできない。

浅井夏子はエコノミークラスの探索の報告を受けながら、一つの可能性が抜けていることに気が付いた。自分が想定していたのは、DとEキャビン、つまりエコノミークラスだけだった。ビジネスクラスからでもカーテンを開ければ、Dキャビンのトイレに行くことができる。27座席列から後ろなら充分可能だろう。

すぐにPILを調べる。そこには七人の乗客の名前がリストアップされていた。三人連れはなく、夫婦二組と単独旅行者三人で、国籍は一組の夫婦が台湾、もう一組は出産を一ヶ月後に控えた日本人とフランス人のカップル、他は日本人二人、パキスタン人一人となっている。そういえば後ろにもパキスタンのビジネスマンが二人乗っていた。

同じ会社の人間なのかどうか機会があったら聞いてみよう。

夏子は名前を赤で丸く囲んだ。


アルコール入りの化粧品を入れた紙コップを持ち、手錠でつながれたもう片方の手でトイレのドアを内側から開けるのは、かなり難しいということが先程試した結果わかった。それに、横にスライドしながら内側に二つ折りになるトイレの扉を開けていきなり飛び出すこともできない。まして紙コップを手にしていたら、その時にこぼしてしまう可能性が高い。

待て、なにか様子が変だ。

眠ったふりをした新庄は静かに目を開けた。あたりの雰囲気が変わっている。スチュワーデスの様子がいつもと違う。機内に緊張感が漂っている。何かを探しているとでも言うのか？

息が止まった。

この機内に何か仕掛けられているのか。まさか俺を殺すために。すでに組織の手がまわっていたのか。

一気に脈拍が増え、血圧が上るのがわかった。

慌《あわ》てるな。考えろ。思考を澄ませろ。慌てても仕方がないではないか、何か仕掛けてあるのなら彼女たちが探してくれていると思えばよい。しばらく様子を見ることだ。
新庄は両手に手錠をかけられた不自由な形のまま、薄目を開けて成りゆきをじっと見守っていた。隣の刑事はいびきをかいて眠り込んでいる。

玲衣子はコクピットからのインターホンで呼び出された。砧機長からだった。
《君！　先ほどのくだらないライフベストの件で、まだトイレを封鎖しているんですか》
「はい、後ろの二つとDキャビンの一つを閉めてます」
《なんでそんな余計なことをするんですか、お客さんからクレームでも上がったらどうするんですか。すぐに封鎖を解いて下さい》
「はい。お言葉を返すようですが、このような場合、現場を保持するようにと通達が出ていますが」
《このような場合とは、どのような場合かわかっていないらしいですね。機長が必要と認めた場合と書いてあったでしょう。私が必要とは認めていないんだ、それでもまだつべこべ言うんですか》

「いえ、状況はお聞きになったと思いますが、いたずらとは思えないふしがあるのです。怪しい計画が企てられているような」
《ほお、君はいつからこの便の機長になったんだい？　君の意見なんか聞いていない。私は命令を伝えているんだ。早くトイレを開けるんだ。わかったな》
受話器を通して、荒い息づかいが聞こえてくる。
「承知しました」
《君の染めた髪の毛といい、私に対する態度といい、全く気に入らないね。私は君んとこの部長をよく知ってるんですよ》
「はい」
《語学が大変おできになるそうじゃないか、そのお上手な外国語で、すべてのトイレが使用できますと、早いとこアナウンスしてもらいましょうかね》
「はい、わかりました。いまはほとんどのお客様がお休みですので、アナウンスは皆様が起きられてからのほうがよいかと思います。それから、このままでは、ライフベストのない席が三つ存在することになりますが」
《私が事故を起こすほど下手だと言いたいのかね。もとはと言えば、君が乗客の動向をしっかりつかんでいないから、こんないたずらをされたんじゃないのかね。君の不手際がいまや私の責任にされているんだ。いいか、とにかく乗客からは、何のクレームも上がらないように万全を期するんだ。わかったな！》

現場の保全を考えれば、トイレはこのままにしておいたほうがよい。しかしいまは機長とのこれ以上の衝突を避けるべきだった。

砧をかなり興奮させてしまったことを後悔しながら、玲衣子は通話を切った。

新庄は気付かれないように頭を上げ、あたりを見回した。

探し物は終わったようだ。それにしても感心するほど徹底したやり方だった。捜索と呼んでもおかしくない。機内でこのようなことが行われるのを初めて見た。これではトイレに何を隠してもだめだ。静かに、しかしこれほど完璧《かんぺき》な捜索が行われたことに、気がついた奴《やつ》はいないだろう。だから俺は頭の鈍い羊どもは嫌いなんだ。横で眠りこけている刑事よりも、俺が警戒しなければならないのはこの便に乗務しているスチュワーデスかもしれん。チーフはどんなやつなんだろう？

何回かトイレに行ったが、俺の行動は彼女たちに怪しまれているかもしれん。胃腸薬をもらって、トイレに行った理由を彼女らにははっきりさせておいたほうが安心できる。

コップから飲むか、まてよ、トイレから飛び出すとき、紙コップを使わずに化粧品のアルコールを口に含んでおいて、奴の顔めがけて吹きかけたら？　そうすれば両手が使える。これだ！　これで決まりだ。その前にアルコールで口がしびれないかどうか、一度試してみよう。

我ながら良いアイディアだ。両手が使えて、しかも目つぶしの命中率までもが格段に高くなる。成功率一〇〇パーセントの自信が沸いてきた。

あとでもう一度トイレに行って。そして日本海に出たら、ショータイム、というこうか。その時は君らに、ちゃんと呼びかけてやるよ、レディース・アンド・ジェントルメンってな。

新庄は笑みがこみ上げてくるのを抑えきれず、口元の白髪混じりの髭《ひげ》を醜くゆがませた。

玲衣子は三人のパーサー、浅井夏子と吉田淳子、そして一ノ瀬かおりをメインギャレイに呼び、機長の命令を伝えた。

腕を組み、ギャレイの壁に寄りかかって聞いていた夏子が、体を起こしながら渋い顔で口を開いた。

「タヌキの旦那《だんな》か、困ったわね、どうしよう。トイレが使えますなんてキャビン・アナウンス、犯人が聞いたらどう思うかしら。エコだけにアナウンスしたことにすれば、コクピットではモニターできないわよ。チーフの意見は？」

「そうね、ともかくトイレは使えるようにしないとね。その前に夏子、由香は全部写真に撮ったかしら？」

「ええ、全部撮ったっていってたわ。淳子も聞いてたでしょう」

「確かよ。でも由香の写真で大丈夫かな。この前の班会の写真覚えてる？」

その時の写真は広角レンズを使った、ひどく〝芸術的〟なもので、皆あまり気に入らなかったのだ。

「大丈夫よ、あのトイレ、私たちほど芸術的じゃないもの」

思わず大声で笑ってしまった夏子が慌てて自分の口を手で押さえた。

「ねえ、犯人がその後、のぞきにくるかもしれないでしょう。あの三つのトイレのゴミ入れ、横のパネルに紙切れを挟んで、開けたらわかるようにしとくの。どう？」

淳子の提案に玲衣子も賛成した。

「いいわね。夏子にそれ頼める？」

「いいわよ。私もあのトイレには気を付けておくわ」

夏子の顔にはまだ少し笑みが残っていた。

「捨ててあったライフベスト、手で触らないようにビニールの袋に入れて保管しないとね。ゴミ袋か何か適当な物で。これは淳子に頼んでいいかしら」

「主婦は会社に来てまでゴミ袋の相手？　まあいいわ、任しておいて」

「かおりにも頼みがあるの。タヌキの面倒、お願いしたいんだけど。私に対して感情的になっているの。あなたは、なんとなくあの人の好みのタイプのようだし、今ほかの子とトラブられても困るから。しばらくの間でいいの」

「あら、私のどこがタイプなんですか？」

大きな目が「なぜ？」と真っ直《ます》ぐ玲衣子を見つめた。

「清純な感じだし、そのくせどこか崩れやすそうなところ。彼、そういうの好みよ、きっと」

玲衣子の「かおりの分析」を聞いて、夏子と淳子は、それよそれ、と小声で笑った。

左右に震えるような振動がギャレイ全体に走ったのはそのときだった。ＣＡたちは周りを見まわし、思わず何かにつかまった。

「いまの何!?」

夏子が低い声で叫んだ。

異常な振動は、五秒おきに二回発生した。そして何もなかったようにおさまった。

夏子はあちこちを手で触っている。

「雲の中にでも入ったんじゃないの？」

淳子はそれほどピリピリしていないようだ。

「後ろに聞いてみるわ」

夏子がインターホンをつかむと後方ギャレイを呼び出した。

「変な振動が起きなかった？」

途中、「それで？」と一回聞いただけで、あとはうなずいている。

「ありがとう。気にしないで、すぐに戻るから」

夏子は受話器を戻しながら振り向くと「後ろは何も感じなかったそうよ」と心配顔の三人に伝えた。

ライフベストとタヌキに対する作戦は決まった。各人が持ち場に戻り、かおりは「うんと崩れそうにしてくるわ」と笑いながらアッパーキャビンに上がっていく。代わりに松本みどりがAキャビンに来た。

一人になった玲衣子は、先ほどの振動を気にしていた。コクピットに問い合わせたいが、またタヌキに文句を言われるのはわかっている。この機体は元々振動が大きいのかしら。共振を起こしそうなカート類や扉を調べてみたが、すべてロックされ、固定されていた。そっとのぞいた窓の外は雲一つない快晴で、一万一一〇〇メートル下には、ロシアの広大な緑の大地が広がっていた。

＊

江波は叫び声を上げて飛び起きた。

鼓動の音だけが、体の中からはっきりと聞こえている。音と異常な振動の感覚が残っていた。

また墜落の夢だ。息を止めて耳を澄ましても、単調な音、機体が空気を切る音しか聞こえない。妙な振動もない。首筋と額が汗でじっとりしている。ベッド横のライトで時計を見ると、交代時間までまだ四〇分もあった。クルーバンクのベッドの中でしばらく様子をみていたが、何事も起きないので電気を消し毛布を肩まで引き上げた。目をつぶってなんとか眠ろうとしたが、結局あきらめて一〇分ほどで起き上がった。

実に満足だ。すべてが計算通りにいく確信がもてたからだ。アルコール分の強いオーデコロンを口に入れても、においは強いが舌がしびれることはなかった。このまま吹きかければ必ず効き目はある。手錠が手首を締めつけているが、扉は勢いよく開けることができる。先程は扉を開けると、眠そうな刑事が前でぼーっと立っているだけだった。コロンは目の前三〇センチから吹きかけることができるだろう。あとは飛行機が完全にロシアから離れて日本海に出るときを、じっと待つばかりだった。

新庄はにおい消しにコーヒーを一口飲むと、満足気に椅子《いす》に深く腰をかけ、そっと瞑目《めいもく》した。タバコを止《や》めて六年になるのに、むしょうにハバナ産の葉巻が吸いたくなった。

ファーストクラスのバーカウンターでは、玲衣子と夏子が捨てられていたライフベストと正常なものを並べ、両方を見比べていた。

問題のライフベストは透明のビニール袋に入れてあった。付属物でなかなか手に入らないものといえば、海水に反応して発電する電池と、防水ライトくらいだろう。小型高圧ガスボンベはどこでも購入できるので、わざわざこんな手間をかけて入手はしないだろう。

階段から誰か現れる気配がした。江波だった。今起きたばかりの様だ。

「ちょうどよかったわ、これが問題のベスト。何か外された物がないか点検してるの」

「何かわかった？」

目をこすりながら近づいてきた。

「今、スペアと比べていたんだけど、外されているものはないみたい」

夏子が二つを並べて江波に示した。

三人でじっと二つのライフベストを見比べた。それぞれが両方を手にとって何度も表裏を返し、丹念に調べた。

無言のうちに三分が過ぎ、五分が過ぎた。一〇分が過ぎた頃玲衣子はあきらめのため息をついた。

「だめだわ、わからないわ」

「これは何も外されていないと思うな」

「もうあきらめましょうよ。お客様が見たら変に思うから」

「そうね、でも何かあるはずなのよ、何かが」

夏子はそうひとりごちながら片づけ始めた。人の来る気配がして三人は慌てて振り返った。鈴木ひとみが立っていた。顔を紅潮させている。

「どうしたの、アッパーキャビンじゃないの？」

「でもぉ、もうあのタヌキ、超アッタマくるじゃないですか。一ノ瀬さんだけでいいとかぁ、あたしには用ないとか言っちゃってさ」

　かなり興奮しているようだ。

「わかったわ。成田に着いたらゆっくり聞いてあげるから。コクピットは彼女に任せて、あとはかまわなければいいんじゃないの。ほかの娘《こ》に被害が及ばないように、彼女にアッパーへ行ってもらってるってことは、わかってたでしょう？」

「えっ？　そうなんだ。すいませんでした」

「あなたが使い分けているのはわかるんだけど、その話し方、普段からしているとお客様の前でもつい出ちゃうものだから、気をつけたほうがいいと思うんだけど。わかってもらえるかしら？」

「はい。そうですよね。以後気をつけます」

「そうね。これ以上砧機長と問題を起こしたくないので、早川さなえと交代してちょうだい。彼女、エコにいるから、いま伝えるわ」

　玲衣子はインターホンを手に取って早川さなえを呼び出した。

「すみません」

ひとみは夏子が手にしているライフベストを、もう一度振り向くようにして確認すると、急いでエコノミーのキャビンへ向かった。

夏子はスペアのライフベストを丁寧にたたんで黄色い袋にしまいながら、「あの子、玲衣子さんにあんな口をきくとは知らなかったわ。監督不行届ですみません」と謝った。

「彼女のいいかたァ？　それってぇー、おもしろいじゃないですかー」

ひとみの口調をまねておどけると、夏子が大きな口を開けて笑う。夏子の屈託のなさを玲衣子はいつもうらやましく思っていた。自分の班が明るいと評判なのも、彼女の性格によるところが大きい。合図をして階段を上がっていくさなえに、玲衣子は小さく手を振って応《こた》えた。

視線をもどすと夏子の顔から笑いが消えている。ビニール袋を持った手も止まっている。夏子が囁《ささや》いた。

「そうよ、わかったわ。袋よ。ライフベストが入っていた袋がないわ」

玲衣子、夏子、それに江波の三人は顔を見合わせた。

「本当だ、袋がない」

「そういえばどこにも袋はなかったわ」

「トイレに落ちていなかった？」

江波の問いかけに玲衣子は首を振った。

「あればすぐに気づくわ。見慣れてる物ですもの」

「袋が欲しかったなんて、信じられないわ。一体、何に使うのかしら」

夏子は、スペアの入っていた袋をカウンターの上に置くと、丹念に調べ始めた。ざらっとした黄色いビニール袋には、製造会社、型式番号、検査年月日が黒のインクで印刷されている。ライフベストに書かれているものと変わりない。蓋《ふた》の部分にはマジックテープが付いている。誰が見てもただそれだけのものだ。ひと通り調べ終わると夏子は心配そうに小声でつぶやいた。

「やっぱり殺人計画があるんじゃない？　ライフベストの偽物《にせもの》を袋にいれて元通りにしまっておくの。そうすると着水するまで誰にもわからないわ」

夏子の言葉をさえぎるように、インターホンのチャイムが鳴った。

《今いいですか？》

淳子からだった。例のトラブルパッセンジャーが何か始めた、とピンときた。

「いいわよ。なにかあったの？」

《先ほどのトラブルパッセンジャーに呼ばれまして、「この便のサービスがあまりに悪いので、とても満足できない」とかなりご立腹です。接続の大阪行きはスーパーシートにアップグレードしろとのご要求です。かなり声を荒らげておられますので成田のほうに聞いていただけませんでしょうか。いますぐご返事はできない旨《むね》お答えしましたが。玲衣子さん、どうもすみません。今回こそはうまく収められたかと思ったんですけど》

「わかったわ。その件は江波さんに問い合わせてもらうからもう少し待ってちょうだい。何かお気に障《さわ》るようなことでもあったの？」

淳子がアテンドして駄目なら、誰がやっても同じだろう。

《いいえ。先ほどはワインがお気に召さなくてひと悶着《もんちゃく》ありましたけど、先程までお休みだったので、何がなんだかわかりません。ゴネ得狙《ねら》いだと思います。会社はこういうのに弱いから》

「了解。成田からの返事が来たら連絡するわ」

通話を終えた玲衣子は、うつむいて黄色い袋を調べている江波にその件を伝えた。

「ＯＫ、わかった。会社に連絡しておくよ。玲衣子さん、この袋がトイレか客席のどこかに落ちていないか、もう一度調べられる？」

「これからミールサービスで忙しくなるから駄目ね。あと一時間ぐらいで暇になるから、その時に調べて報告するわ、江波さんはデューティーよね」

「ああ、成田に着くまでずーっとね」

三人が小声で話していると、またチャイムが鳴ってインターホンのライトがついた。今度は夏子が取った。夏子は「はい、浅井です」と応えたあと何回か黙ってうなずくと「了解。すぐそっちに行くわ」と告げてインターホンを切った。

「玲衣子さん、また異常な振動が発生したみたい。江波さんもちょっと来て下さい」

メインギャレイは食事の用意の真っ最中で、ワインなど各種飲料も並べてあり、カートも一台引き出されている。この状態ではかなり音もしただろうと、江波は思った。玲衣子が顔を見せたことで、ギャレイにいた三人のＣＡの顔から、不安の影が引いていく。

「全体が震えるような、ぶるぶるするような感じでした。あんな感じの振動は初めてです」

彼女達によれば、二、三回その振動があって、その後は異音もなく、まったくのノーマルに戻ったという。

「私たちもさっきそんな振動、感じたのよ」

夏子が準備中のオードブルの飾りを直しながら答えた。

「浅井さん、その振動、僕が降りてくる二〇分ぐらい前？」

「そうね、その頃だったたと思うわ」

「あ、そう」

嫌な目覚めの原因はそれかもしれないと江波は思った。

「もうすぐ交代だからコクピットに戻るけど、もし先ほどと似た状態が起きたらすぐ知らせてくれないか？　インターホンはタヌキも聞いているけど、僕が取るから」

「了解。で……タヌキはいつ交代なんですか？」

夏子がこちらを覗《のぞ》きこんだ。

「成田までいるよ。もうレストは終わったから」

「江波さんも大変ね」

江波は腕時計を見ると、玲衣子にちらっとウインクをしてギャレイを出ていった。三人の若いＣＡは小さな声でわぁといって玲衣子を見た。こんな小さなことでもギャレイの中は明るくなる。

4 疑惑

　江波が朝霧機長と交代して席に着いたのは、ハバロフスクを過ぎて日本海に差しかかる手前、成田到着まであと約二時間という頃だった。日本海に出ると稚内《わっかない》の北西約三六〇キロの地点からそのまま南下し、佐渡島上空から新潟に入り成田に向かう。交代の際に振動のことを尋ねたが、特に異常はなかったとのことだった。

【問い合わせのアップグレードの件。当該旅客の要望には応じられない。降機後地上係員に申し出られたし】

　江波は玲衣子に会社からの返事を伝えた。

《了解しました。それからライフベストの袋なんですけど、探しても見つかりませんでした》

　砧機長は苛立《いらだ》ちをまた爆発させた。

「君らはまだあんないたずらに振りまわされているのか」

「しかし、ライフベストの袋が見つかっていません。やはりどこかおかしいと思うのですが」

「袋だあ？　そんなものは、椅子《いす》の下にでも落ちているに決まっているだろう。何をつまらんこと言ってるんだ、君は。君のようなのが来年機長になるのかね。人格的に不適格だと言わざるを得ませんね。どうして私の言葉に素直に従えないんですか」

「はい。わかりました」


真っ青な日本海が遠くに見えてきた。先ほどから軽い揺れが続いている。このあたりはいつも揺れるからミールサービスが大変になる。

食事を配り終えたキャビンでは、もう一度トイレの点検が行われた。食事が済むとトイレを使う人が増える。その前に作業を済まさなければと、CA全員が調査を始めた。しかし黄色いビニールの袋も、ライフベストを取り出した際に垂れ下がるはずの赤いリボンについても、一切報告がなかった。

浅井夏子はキャビン後方で食事中の乗客たちを眺めていた。その時、大きなバッグを肩から下げた日本人の男性が一人、Dキャビンのトイレから出て来た。

トイレに大きなバッグを持ち込む。しかも男性が？　明らかに不自然だ。

反対側の通路にいる小泉由香に合図を送る。ごみ箱の横のパネルには、誰かが開ければすぐわかるように、小さな紙切れを挟んでおいたのだ。由香がうなずいてトイレチェックに入った。

夏子はその乗客の行き先に注目した。その男性は先ほどコクピット見学に行った子供の母親の隣に座った。ああ、あの子のお父さんか。トイレチェックから出てきた由香が親指を上げ、ＯＫの合図を送ってきた。

夏子はすぐに異変に気づいた。急いでＰＩＬを見直すと、インターホンで玲衣子を呼んだ。

「山本さん、気になることがあります。先ほど三人連れの乗客を調べたときには気が付かなかったんですけど、あのコクピットを見学した子供の家族、三人連れではリストアップされていないんです。私たちがお父さんと思っていた人は、お父さんではないようです。ＰＩＬによると名字が違っています。どう思われます？」

《そうね、男と女にはいろんな関係があるし、それぞれ事情もあるでしょうから。ここであらためてお伺いするわけにもいかないし。不審な点でもあるの？》

「いいえ。特にどうというわけではありません。そうですね、世の中いろいろですものね。私はまだまだ人生経験不足ですね」

夏子はしゃべりながら〝お父さん〟を見ていた。あらためて見直したが、子供の本当の父親ではないような気がしてならなかった。彼はまた立ち上がり、子供の母親にひと言ふた言しゃべるとバッグを席に残して後方に歩いていった。夏子は体をひねってその行動を目で追った。一番後ろから一列前の、四人がけの椅子のところまで行くと、彼は四席の肘掛《ひじか》けを上げ、そこに体を伸ばして横になった。

その時ビジネスクラスとの仕切りのカーテンが開き、パキスタン人男性がこちら側に入ってきた。しばらくあたりを見まわしたあと、問題のトイレに入った。

「例のトイレに一人入りました。また連絡します」

夏子はトイレを見ながらインターホンを切った。

しばらくして出てきた男は、そばにいた由香を呼び止め、何ごとかを説明している様子だったが、話し終わるとカーテンの向こう側に消えた。トイレチェックを終えた由香から、すぐにインターホンが入った。

《今の方、口をゆすいでいらっしゃって、ペーパータオルと一緒にめがねを誤ってくず入れに落としたと言われました。先ほど取り出しましたので、これからお届けします。印は剝《は》がれていたんですけど、自然に落ちたのかも知れません。ビジネスクラスのトイレは混んでいたので、こっちのを使われたようです》

報告を受けた夏子は、玲衣子にも伝えた。

「けど、なぜ犯人は袋が三つも必要なんでしょう、気になって仕方がないんです」
《私もずーっと考えているの、犯人が特殊旅客の件と関係がないとしたら、トイレチェックをする航空会社をなぜ選んだのかって。何かやっていることが矛盾しているような気がしてならないの。あとでもう一度パーサーの三人に、メインギャレイに集まってもらうかもしれないわ》
「了解。それと玲衣子さん、かおりはタヌキとうまくやってるみたいね」
《そうね。助かったわ》
「下をご覧になりました？　いよいよ日本海ですね」
《私もさっきから見ているわ。今日も真っ青ね》
二人はそれぞれの場所で海を見おろしながら、通話を切った。

最終巡航高度を一万二一〇〇メートル（三万九七〇〇フィート）に上げる許可が、ウラジオストク・コントロールより二〇二便に伝えられた。
エンジンの回転が上がり、機が上昇を始めると同時に、インターホンのチャイムが鳴った。メインギャレイからだ。江波はマイク・セレクターを切り替え、少しボリュームを上げた。

「はい、どうぞ」

《メインギャレイ、吉田淳子です。江波さん、また変な振動が出てきました》

「了解。そうか、原因がわかったよ。さっきパワーを入れたときに、四つのエンジンの回転数がずれて振動が出たものだと思うよ。こちらの計器には異常は出ていないから、安心して下さい。現在のサービスはどうなってるの？」

《はい、まもなく回収に入ります。他に異常はありません》

「OK、ありがとう」

通話を切って、マイク・セレクターを航空管制《ATC》に戻すと、考え事をしている様子だった砧が口を開いた。

「何だい、その振動というのは」

「はい、ギャレイで、先ほどからおかしな振動が出ているらしいのです」

「どうせ、どこか蓋《ふた》でも閉め忘れて、がたついたんだろう」

「私もさっき、変な振動で目が覚めたんです」

「ここでは何も感じなかったな。朝霧君も何も言ってなかったしな」

「ちょっとエンジン計器チェックしてみます。たぶん上昇出力《クライムスラスト》を入れて回転が上がるときに、四つのエンジンの同調が崩れて、それで振動が出たんだろうと思います」

そう言ってはみたものの、確信があるわけではなかった。同調が崩れたぐらいでキャビンまで伝わるような振動が出るだろうか。

江波は常時表示されている回転計と、タービンガス温度計以外の計器を画面に呼び出した。異常があればその部分が自動的にモニターに映し出されるので、通常はバイブレーションなどの計器をディスプレイは表示しない。データに異常は示されていない。二番エンジンのバイブレーションが高いと言えば少し高いが、ノーマルの範囲内だ。江波は異常がないことを確認すると、心に浮かんだ疑問を画面と共に消した。

二次監視レーダー《SSR》のコード番号変更を告げられた二〇二便は、ロシア領空に別れを告げ、日本の防空識別圏に入った。北海道横津《よこつ》岳《だけ》の航空路監視レーダーが、はっきりとその姿を捉《とら》えているはずだ。高度計のセットがメートルからフィートに戻り、高度も四万一〇〇〇フィートとなる。薄い絹雲《けんうん》の上で、気流の乱れもなく快適な飛行に戻った。機上のレーダーには、北海道の海岸線まできれいに映っている。日本海だ。まもなく札幌コントロールに管制移管される。

コクピットに一ノ瀬かおりが入ってきた。

「キャプテン、後ろはそろそろ片づけに入ります。この先は、もうお飲み物をお持ちできないと思うんです。今何かお持ちしますか？」

「じゃあ、君が入れたおいしいのを頼む」

砧はコーヒーを注文した。

「江波さんは？」

そばに来たかおりの手に、江波は小さくたたんだACARS用紙を握らせた。かおりは少し戸惑ったようだったが、黙って紙を握りしめた。

「アメリカンを頼むよ」

「はい。すぐお持ちいたします」


青木佐知子の配慮でEキャビンに移った山崎リサだったが、自分の受け持ちだった特殊旅客に必要以上に意識が向きがちになっていた。そのために刑事と目が合ってしまい、手招きで呼ばれたのだった。リサはおびえながら席へ向かった。

飛行機に酔って少し気分が悪いと言ったのは、刑事の隣席の特殊旅客だ。一見、犯罪者には見えないその紳士から、水を頼まれた。顔色は悪くなかったが、うっすらと汗をかいている。

さっきまであんなに食欲があったのに、食べ過ぎじゃないかしら。

急いで胃腸薬と水を持っていったリサに男は「薬はいらないから水を一口だけ」と呟《つぶや》いてコップに手を伸ばした。そのとき腕がトレイに触れ、水がこぼれそうになった。

「あっ、失礼いたしました」

リサの手の上に重なった手錠の左手は、小指の第二関節から先がなかった。凝視してしまったリサは、慌《あわ》てて目をそらしたが、すでに感づかれていた。彼はそっと手を離すと、指を隠しながらゆっくりとこちらを見上げた。顔つきにそぐわない鋭い目つき。まともに見つめられたその目に、かすかな笑みが含まれているのを感じたリサは、底知れない恐怖と気味悪さのせいで、その場に立ちすくんでしまった。

コクピットにコーヒーを届けた一ノ瀬かおりは、ファーストクラスのギャレイに向かった。カーテンを開けると浅井夏子と吉田淳子がいて、成田到着に備えて片づけを手伝っていた。山本玲衣子はACARS用紙から顔を上げ、それをかおりに見せた。

「江波さん、タヌキと一緒じゃ何もできないから、これをあなたに渡したのね。どう思う?」

かおりは江波に渡されたその紙を黙って読むと、小声でつぶやいた。

「知らなかったわ、二〇二便で二回もライフベストがなくなっていたなんて」

「あれだけ探して出てこないということは、やはりいたずらかもね。ライフベストを捨てたり、持っていってしまうなんて、どういうつもりなのかしら」

カートの扉をひとつひとつ針金で封しながら淳子が怒りをぶちまける。

「こういう人たちって、次に乗る人のことなんか全然考えないんだわ。……何か参考になること書いてある？」

「過去の経緯だけを知らせてきたのよ。それにしてもこんなにたくさんあるなんて、悪質ないたずらが多いのには驚くわね」

夏子がワインの残りを流しながらため息をつく。

「あーあ、いつもこれ捨てるとき、もったいないなぁって思うの」

ウイスキーやブランデーは封をしてから税関の申告用紙に残量を正確に記録して提出すれば良いが、ワインは栓を抜いたら、たとえ乗客が一杯しか飲まなくても、それがどんなに高価なワインでも、到着前にすべて捨てる。夏子はワインを流し終わると、機上で使用したものの残りを記入するため、サービス用品のチェックシートと税関の申告書を戸棚から取り出した。

カーテンが開いて松本みどりが入ってきた。パーサー全員がそろっているのを見て、少しびっくりしたようだった。

「すみません。コーヒーを下さい」

　淳子がまだ封をされていないカートから、ミルクと砂糖を取り出して手渡すと、お邪魔しましたと三人分のコーヒーをトレイに乗せて出ていった。

「このレポートによると、紛失で一番多いのが、大阪なんですね」

　みどりが出ていくと、かおりが口を開いた。

「七九便は三月に二回もよ」

「七九便は、この二〇二便に接続している成田大阪便でしょう」

「乗り合わせた子供が、単にいたずらしただけとも考えられるわね。あぁいやだ、タヌキの得意げな顔が目に浮かぶわ」

「でもこれ、やっぱり殺人計画じゃないの」

　かおりと淳子はその「殺人計画」について知らなかった。夏子の説明に淳子はそれは少し考えすぎよ、と反論したが、かおりは驚いて言葉が出なかった。

　夏子自身も、説明しながら何かおかしいと思い始めていた。殺したい乗客のライフベストを抜き取り、その上で飛行機を着水させるという計画であれば、紛失と着水事故が同時に起きるはずなのに、紛失だけが繰り返し起きている。

「今までに何度も起きているのはなぜかしら?」

夏子は独り言のようにつぶやいた。

「夏子さん、この便のエコに、挙動不審者は、ちょっと大げさかもしれないけど、そんな人、誰か乗っています?」

夏子は淳子に聞かれて、青木佐知子が言っていた「ちょっと気になる女性客」のことがまず頭に浮かんだ。もしかすると先ほど自分が見まわりに歩いたとき、一番後ろの席で横になっていたスタイルの良い女性と同一人物ではないか。佐知子は暗くて顔はよく見えなかったと言っていたが、もう一度確認しておきたかった。

「思い当たる乗客がいるの。ちょっと待って」

夏子はインターホンで佐知子を呼んだ。その女性が特にスタイルがよいという印象は受けなかったし、髪が長かったので同一人物ではないようだとの返事だった。それよりも、と佐知子が続けた。

《リサが怖がっている特殊旅客の男性、リサが薬と水を持っていって偶然見てしまったようなんですが、左手の小指の先がないそうです。リサは驚いて息が止まりそうになったと言っています。問題はその方が飛行機酔いで、気分がすぐれないらしいのです。汗をかいていらっしゃいまして。薬は断られ、水を一口だけ飲まれました。その後すぐにトイレに行かれ、いまは休んでおいでです。あとで既往症があるか伺ってお

きます》

佐知子から報告を受け、夏子はメモ用紙に記した。

淳子はトラブルパッセンジャーともめた件について説明した。彼がトイレを散らかしたことについて、何か関連があるのかもしれないと付け加えた。

玲衣子は聞き終わるとあたりに注意しながら、声を落として自分の考えを話した。

「犯罪計画と単なるいたずら、両方の可能性が考えられるわけね。でもこの便にはいたずらしそうな子供はいないわね」

「子供とは限らないんじゃない。それに」

淳子がACARSの感熱紙から顔を上げた。

「九一六バンコク便なんて、真夜中に飛んでくる便よ。そんな時間にいたずらする人間なんているかしら」

淳子の考えに、三人とも黙ってしまった。

「九一六バンコク？ 玲衣子さん、後ろにある客室業務日誌を取っていただけますか。その引き出しに入っています。もしかしたらそれ、シップ・パターン（機体の運航パターン）と同じじゃないかと思って」

夏子の目が輝いている。

「確か、この機体、二〇一便で成田からロンドンに来る前は、バンコク・成田の九一六便となっていたように思ったわ」

キャビン・ログのページをめくる夏子の指先に全員の目が集まった。

「やっぱりそうよ、見てこれ。九一六でしょう？　CPは北村佐緒里さんだわ」

アルミ板でできた表紙を裏側にそのページを表に出すと、一八〇度まわして皆の前に差し出した。

四人は顔を見合わせた。淳子が急いで九一六便の前のページをめくった。四人の目もすぐにそれを追う。九一五便、成田・バンコクだった。その前のページは七八便、大阪・成田、その前は——、しかしキャビン・ログはそのページから始まっていた。以前の古いログはすでに取り外されていて、この機体がどこから大阪に入ったのか、というシップ・パターンを見ることはできなかった。

「このシップ、このあとどこに使うのかしら？　もしかすると七九便で、大阪に行くんじゃないの？」

淳子がキャビン・ログを閉じながら三人の顔を見まわした。淳子の話を聞きながら何かが玲衣子の頭に閃《ひらめ》いたようだった。

「えーと、かおり、さっきのライフベスト紛失のデータ、その中の二〇二便と七九便の日付、同じじゃない？　ちょっとチェックしてくれない」

かおりはくしゃくしゃのACARS用紙を指で追いながら即答した。

「七九便でのライフベストの紛失がリポートされた日は、成田で二〇二便に捨てられていたのと同じ日付だわ。でもたった二回よ。それも三月だけ。関連があるのかしら？」

「ここに書いてある二つの便名は、便名は違っても、もしかすると同じ機体だったんじゃないの？」

浅井夏子は玲衣子の推理から、鈴木ひとみのことを思い出した。確かトミは実家が大阪で、ロンドン便のあと大阪に帰ると言っていたはずだ。すぐにインターホンでトミを呼び、この前帰ったときのことを聞いてみた。

夏子はインターホンを切ると、皆のほうに向き直ってにっこり笑った。

「ビンゴー、当たりよ。同じ機体だったって。間違いないわ。今日の七九便はたぶんこのシップよ」

「でもこれによれば、実際には成田で捨ててあったのに、ライフベストは大阪まで紛失したことになっていない、ということになるのよ。変だわ、なぜ成田で気が付かなかったのかしら？」

かおりが三人の顔を見る。

「捨ててあったのを見つけたのは清掃さんで、別会社じゃない。点検は整備さんだから、その間の連絡はないんじゃないの。清掃会社はゴミ袋にあるものは、いらなくなって捨てたものだと考えるわ。いちいち連絡して、『これは捨てたものですか?』なんて聞くほうが不自然よ。だから実際に捨てられていた数はもっと多いかもね。それで大阪で整備さんが点検したときには、なかったということよ」

淳子はメモ用紙に何か書き留めながら答えた。

「便名が違うから、同じ機体だとは気が付かない可能性は、充分にあるわ」

玲衣子もその考えに賛成した。腕組みをしながら考えていた夏子が顔を上げた。

「袋よ。袋があれば、そこにライフベストがあるように誰でも思うわ。だから成田の時点では、袋はその場所にあったんだわ。大阪で袋が消えた、ということじゃないの?」

「でも何も入っていない袋を、誰が大阪で持ち去ったの? 何のため? それにどうやってその袋の場所を知ったのかしら」

淳子の疑問を最後にしばらく沈黙が続いた。そうよね。夏子は頭の中でつぶやきながら、税関の申告用紙に記入を始めた。ファーストクラスの呼び出しチャイムが鳴った。

「私、見てくるわ」

かおりがカーテンを開けて出ていった。

玲衣子はギャレイのカウンターの上を片づけながら、答えを探していた。

「確かにライフベストを捨てた人でないと、問題の袋がどこにあるのかわからないはずよね」

「成田で降りて、すぐに大阪に電話を入れれば？」

「それでも、大阪で袋を持ち去るには、その電話を受けた人が機内に入らないとね。その人、どうやって大阪で機内に入ったのかしら？」

玲衣子が声を落として気味悪そうにつぶやいた。

「どうしたの？　静かね」

かおりがカーテンを開けて入ってきた。

「テイラー夫妻にコーヒーをお願い。ミルクだけ、砂糖はなしで」

「私が作るわ」

淳子が屈《かが》んでカートを引き出すと、コーヒーカップを二つ取り出してカウンターに置いた。玲衣子がそこにコーヒーを注ぎ、かおりはミルクとコーヒーをトレイに乗せて出てゆく。後ろ手で閉めたカーテンの揺れを見ていた淳子が口を開いた。

「やっぱりシップ・パターンよ。犯人はシップ・パターンを知っていて、大阪まで七九便で一緒に行ったんだと思う」

夏子が玲衣子に半身を向け、税関の申告用紙から頭を上げた。

「もしかして密輸じゃないかしら？　ライフベストの袋に密輸品を入れて、収納場所に置く。成田ではきれいな体で税関を通過する。あらかじめ同じ席の大阪行きを予約しておくのよ。大阪で降りるときに、密輸品を袋ごと持ち去るの。国内線だから検査もないわよ」

夏子は言葉を切ると、ＡＣＡＲＳ用紙を手にとった。

「大阪ではライフベストの紛失だけが記録され、事件にはならないわ」

最後の部分は声が自然に小さくなっていた。

「そうよ！　確かにそれなら密輸が可能だわ」

淳子の言葉に三人は顔を見合わせた。

「でもまだ疑問が残るわ。機体だって税関で検査されるじゃない。どうやってそっちをごまかしたの？　国内線使用機材として使うための切り替えでは、成田の税関がかなり厳しく検査するわよ」

玲衣子の意見に二人は黙った。夏子が思いついたように、身を乗り出した。

「それでも機内装備品とか、緊急用品はほとんど検査されないわ。四〇〇個近くあるライフベストの中身まですべて検査するなんて、実際には無理な話よ。だからこそ、そこに目を付けたんだわ」

カーテンが開いてかおりが戻ってきた。夏子が今までのいきさつを話して聞かせた。

「密輸って、麻薬ですか?」

かおりが心配そうに玲衣子の目を見た。

「麻薬のほとんどは、アフガニスタンやパキスタンから来るでしょう。ロンドンからっていうのはおかしくない?」

そう言いながら、玲衣子、夏子、淳子を順番に見渡した。すぐに夏子が口を開いた。

「中東や東南アジアからの便は検査が厳しいけど、ヨーロッパからのは比較的緩やかだということはないのかな」

「ヨーロッパのどこから麻薬を持ってくるの」

話や映画で知ってはいても、現実に密輸の現場に居合わせることなど、想像もできなかった。どこにも逃れられない四万一〇〇〇フィート上空ではなおさら薄気味悪い。

四人ともだんだん声が小さくなっていった。

「ライフベストを捨てるなんて、目立つことするのは、おかしくない」

「紙袋に入れて捨ててあったら、わからないわよ。犯人は、機内のゴミは清掃会社が処理している、というのを、知っているんじゃないかしら」

淳子はためらいながら自らの仮説を明かした。

「こんなに複雑な計画、会社関係以外の人には実行できないんじゃないの。もしかすると犯人は会社関係の人かもよ?」

「この便には会社関係の人、乗っていないわ。それはロンドンでチェック済みよ」

「玲衣子さん、違うのよ。たとえばトミはどう? 彼女このあと七九便で大阪に帰るんでしょう。トミならできるわ」

「まさか」

驚いた視線が淳子に集まった。

「彼女、ロンドンでは一人だけ別行動だったわ」

鈴木ひとみは今年配属になったばかりで、しかも二回目か三回目のロンドン・ステイ中に、迎えに来た車に乗って一人で出かけていった。淳子に言われるまでもなく、そのまま外泊したこともみな知っていた。確かに大胆な行動だった。

「この前、彼女が大阪へ帰ったって、いつ頃だったの?」

ほつれて首に落ちてきた髪の毛を、ピンでアップにとめながら、かおりが夏子にきいた。

「確か四月の初めか三月の終わりよ。ちょっと待って、スケジュールを見るから」

夏子はスカートのポケットから緑色の手帳を取り出すと、カウンターの上に置いてページをめくり始めた。

「三月二〇日だわ。成田が季節はずれの大雪で一時間近くも待機飛行させられた日よ。覚えてない？」

淳子は「三月ね」と返事をしただけで、くしゃくしゃになっているACARS用紙に見入っている。やがて顔を上げると緊張した目で玲衣子を見た。

「……三月二〇日の二〇二便、紛失事件が起きているわ」

それっきり四人ともまた黙ってしまった。鈴木ひとみはライフベストを点検しているときに急に現れたりもしていた。あのときの様子も怪しかった。タヌキの愚痴をわざわざ言いに来ることもおかしい。

だがひとみが犯罪に関与するとは、どうしても信じられなかった。

「トミが怪しいということになれば、私たち全員に犯行の可能性があるんじゃないの？　コクピットも含めて。警察はそう考えるでしょうね。運び屋はこの便に乗っていて、大阪行きにも予約している人ね。夏子、ＰＩＬ持ってきてくれる？」

「ここにあるわ」

ＰＩＬの上をなぞる夏子の指先を四人の目が追いかける。

「七九便大阪接続のお客様は……、団体の一五名のほか、個人客は一三名。えーと、そのうち五名がフレンチ・コネクション、マルセイユからよ、二人はリヨンから。残りはロンドンね」

「この便のものと同じ席を取っているんじゃない？　七九便を座席指定で予約しているかどうかは、地上でないとわからないわね。江波さんに知らせて成田に問い合わせてもらったらどうかしら？」

夏子が深いため息をついた。

「タヌキが横にいるから無理なんじゃない。それにあくまでもこれは私たちの推論でしかないし。ベストが捨てられていたのが三月だけというのも変よ」

「ライフベストの犯人は、さっきロンドンから特殊旅客のことで来たリポートとは、全然関係ないということ？」

かおりが真面目《まじめ》な顔で夏子に聞く。

「それはわからないわ。関係があるのかもしれない。彼が密輸に関わっているかもしれない。あの刑事さんを見た？　目つきが、やたら怖いのよ。いまごろロンドンで、縛られた本物の刑事が見つかった、なんてことも考えられるのよ」

そこまで言うと夏子はＰＩＬをカウンターに置いて、手帳をスカートのポケットにしまい込んだ。

かおりは息をのんだまま、大きな目を丸くして動かない。

「夏子の考えはいつも、すこーし常識を超えたところがあるの知ってる？」

淳子がかおりをからかいながら笑う。

もし本当に麻薬の密輸が行われているとしたら、かなり大きな組織がからんでいる可能性がある。密輸に気づいたことが犯人にばれたらどうなるのか。玲衣子に冗談を返す余裕はなかった。

「夏子、ちょっとこっちに見せて」

ＰＩＬをのぞいた玲衣子は、すぐに顔を上げた。

「二階席とファーストには接続客はいない。かおり、あなたは江波さんになんとかこのこと知らせてくれない？　夏子と淳子はもう一度注意してキャビンを巡回して、私はバーカウンターにいるから、不自然なことがあったらすぐに連絡してちょうだい」

「ほかの娘《こ》には知らせます？」

「そうね、ただ挙動不審者に注意するように、とだけでいいわ」

「トミには？」

一瞬の沈黙が流れた。三人は玲衣子を見守り返事を待った。

「……私はトミを信じるわ」

四人はそれぞれの持ち場に戻った。

「それから、私が最初に言った殺人計画の可能性も忘れないでよ」

夏子はまだ独自の考えにこだわっていた。

特殊旅客が乗っている時に顧客情報コンピューターが故障しているというのは、偶然にしてはひっかかる。意図的に仕組まれたのかもしれない。四人とも口には出さなかったが、心の中では同じことを考えていた。


江波が振り向くと、ちょうど一ノ瀬かおりがコクピットに入って来たところだった。砧機長に気付かれないように右手を開き、小さくたたんだ紙を江波にちらっと見せると、何気ない仕草で機長席に近づいた。

「キャプテン、お忙しいところすみません。ＧＤ（クルーの申告書）にサインをお願いできますか。全部で五枚もあるんですけど」

珍しく落ち着かない様子で、もぞもぞと体を動かしていた砧は、かおりを認めると、急に笑顔になった。

「やあ君か、こっちに渡して。ロンドンでは何かいい買い物できたかい？」

左手でGDを機長に渡すとき、かおりはわざと江波に体を近づけ、後ろにまわした右手をそっと開いた。かおりの体温と女性の香りを感じながら、江波は素早く紙片を受け取った。

「はい。……二点ほど密輪します」

かおりはそう言いながら、ちらっと江波に視線を走らせ、またすぐに機長のほうに向き直った。

「え、密輪？」

「身に着けてます」

「どこに？　ちょっと見せて」

「制服の下に二ヶ所。下着なんです」

「この場で没収させていただこうかな」

「キャプテンのご命令なら、何でも従いますわ。その代わり私、ここからヌードでキャビンに出ていきますが。よろしいですか？」

かおりは、ほっそりした首を少し曲げて、砧の顔をのぞき込む。

「そりゃあ、ちとまずいな。まいったな、日本では良いものがないのかね?」

「いっぱいあるんですけど、でも私、上品でもきわどいのが好みなんです。ロンドンはそういうの、けっこう安く買えるんです」

「そうすると君、いま、上品で、きわどい……わけかい?」

「ええ、CAの中では、一番上品で、きわどい一ノ瀬かおりです。キャプテンのサイン、素敵ですね。どうもありがとうございました」

砧は目を細くしてしばらくはニコニコしていたが、また前方をにらんだまま黙り込んでしまった。江波はかおりが渡してくれた紙を、掌の中でそっと開いた。

『江波さん、先ほどの情報ありがとうございました。ライフベストの袋は密輸に使われている可能性が高いと思われます。成田に連絡して、七九便に座席指定で予約している乗客の名前を調べて下さい。できれば、でけっこうです。接続客二八名はマークしてあります。ご指示がありましたら〝冷たいおしぼり〟を持ってくるように言って下さい。おしぼりの中に連絡事項を入れて戻して下さい。私のほうからコクピットに顔を出すときは、何かメッセージがあるときです。以上です。イチノセ。』

江波は通常の連絡事項のひとつとして、成田に接続客の座席指定についての問い合わせを行った。

三度トイレに行ったことで、すでに準備はすべて完了したと考えていた。しかし今トイレに入ったのは、本当に必要に迫られたからだった。トイレばかり行っているうちに、俺の胃腸の調子は本当に悪くなってしまった。調子に乗って機内食を食べ過ぎたせいだろうか。ひどい下痢だ。今日食べたものといえば機内食だけだ。飲み物もコーヒーと日本茶、あとは食事のときに出たスープくらいしか思い当たるものはない。いつも用心しているので、冷たい物は一切口にしていない。

さっき飲んだコーヒーが強すぎたのだろうか。

いつもブラックで飲んでいるが、こんな下痢をしたのは初めてのことだった。席に戻ってからも寒気がして気分が悪く、吐き気がしたと思っているうちに今度はもどしてしまった。

この目眩《めまい》は血圧のせいかもしれんな。血圧はいつも高いから薬をもらってはいたが。降圧剤をいまから飲んだところで、すぐに下がるものではないし。せっかくのショータイムを目の前にして、俺はなんてツイてないんだ。チキショウ！

新庄はひどい目眩に悩まされ始めていた。そのうちに吐き気がこみ上げ、またもどした。

スチュワーデスを呼んでくれ。

隣の刑事に怒鳴ったつもりが、嘔吐物《おうとぶつ》が喉《のど》に詰まって声が出なかった。呼吸も苦しくなって体の自由もきかない。隣の刑事はちょっと前に席に戻ったばかりというのに、もういびきをかいて寝ている。

またひどくむせた。そのとたん声が出た。通りかかったスチュワーデスが気づいてくれたので、症状を説明することができた。
二、三人のスチュワーデスが駆けつけて来て、慌《あわ》てて世話をしてくれたが、いっこうに吐き気が治まらない。とめどなく汗が出て、気が付くと目にぼんやりとした霞《かすみ》がかかっていた。
薬をくれ。ニヤニヤしやがって。俺の言っ……てることがわか…ないのか？　チキ・ヨ……ウ！　暗く…ってきやがった。……どうなっているんだ？

新庄の視界は徐々にせばまり、手足にもしびれが出始めていた。

インターホンのチャイムが鳴った。

《あのぉ、よろしいでしょうか》
　玲衣子が取り上げると青木佐知子からだった。
《先ほど、飛行機酔いで気持ち悪いと言われていた、特殊旅客の方なんですけど、トイレから戻られた後に嘔吐《おうと》されました。だいぶ具合がお悪いようです。既往症についてお聞きしたところでは、三年前に腎臓《じんぞう》の手術をされたそうです》
「熱は？　熱は何度あるの」
《今、計っているところです。夏子さんはいらっしゃいますか》
「そっちに戻ったわ。これ以上ケアが必要なら連絡ちょうだい。病状の経過と時間をメモするのを忘れないでね」
《了解しました》

5 漂流

「江波君、実は気にかかっていることがあるんだよ」

もぞもぞと落ち着かない様子の砧機長が、言いづらそうに、いったん言葉を切ってから続けた。

「ロンドンで一人乗客が乗り遅れたの覚えているか?」

「はい。出発直前にカットということでした」

「その乗客の手荷物を降ろしたという報告は、聞いているか」

「あのとき、これから降ろすと言っていましたが」

言われてみると、手荷物を降ろしたという報告を聞いた記憶はなかった。

「そう、俺もそこまでしか聞いていない。本当に手荷物を降ろしたと思うか」

砧の目つきは真剣だった。

「怪しいですね。積み込んだ手荷物を探して取り降ろすのに、普通なら一〇分はかかりますが。あのときはフランスからの接続客の荷物を積むのでかなり急いでいましたが、そんなにはかかりませんでした」

　話しているうちに、背中にすうっと寒気が走った。

「ロンドンが、なぜわざわざあのメッセージを送ってきたのか、妙に気になってな。乗客は乗らずに消えた。そのあとで警察から特殊旅客に不穏な動きがあるという話が入った。話の信憑性《しんぴょうせい》はさておき、まず疑うべきなのは降ろされずに積まれている手荷物に、爆発物が仕掛けられている、ということじゃないのかね。俺たちが発《た》ったあとにあの男を狙《ねら》ったやつが捕まるかなんかして、そのことがわかった、とも考えられないか」

「すぐにロンドンに問い合わせます」

　ACARSのキーボードをたたく額には、汗がにじみでていた。

　ロンドンからの返事は来なかった。すでに機は引き返し限界点《ノーリターンポイント》を通過している。現地時間は真夜中なので、空港にニッポンインターの職員は誰も残っていないのだろう。

　かわりに成田から返事が送られてきた。

【問い合わせの乗り遅れ旅客の手荷物の件。こちらでは詳細不明。以上】

「地上では、爆発物について心配していないようです」

　平静を装《よそお》いながら機長に感熱紙を渡した。江波の脳裏には、スーツケースに仕掛けられたプラスチック爆弾が飛行中に爆発し、スコットランドのロッカビー郊外に墜落したパン・アメリカン航空ジャンボ機の、つぶれた機首部分の写真が鮮やかに浮かび上がっていた。

「そのようだな。やはり単なる乗り遅れなのかもしれないな」

そういう砧の表情も、それを信じているにはほど遠いものがある。ダッシュボードの時計が気になりだした。その一秒一秒を刻む秒針の動きに、江波の目はどうしても吸い寄せられていった。

二〇二便はＩＧＲＯＤポイント経由で札幌コントロールの管制圏に入り、日本海上空を高度四万一〇〇〇フィートで北から本土上空に近づいていく。

「江波君、まあそんなに心配するな。俺は着陸前にトイレに行って来る。三回ノックするから、ドアのロックを外してくれ」

「はい、わかりました」

フルフェイスの酸素マスクを着ける。息を吸いこむ度に冷たい一〇〇パーセントの酸素が、呼吸音とともに流れて来た。眉間《みけん》に縦のしわを刻み、神経質そうな様子でドアを開けて出ていく砧機長。こんな姿を江波は初めて目にした。

到着まであと一時間となったキャビンでは、食事のあと片づけも済み、すべてのワゴンは内容を調べられ、針金で封をされ、その上から鍵《かぎ》がかけられた。機内搭載物は外航で使用する場合は無税となるが、国内で使用することはできない。そのための処置だ。

入国手続きを説明するビデオが流され、CAたちが一一時間半の疲れを隠すため、もう一度鏡に向かって化粧を直し、上着と制帽を用意する。到着時には全員、搭乗時と同じ姿に戻しておくのだ。

乗客も、降りるための準備に忙しい。

ファーストクラスとビジネスクラス担当のCAたちは、すでに上着を着て準備を整えていたが、吉田淳子は上着どころではなかった。トラブルパッセンジャーが免税品を買いたいと言い出したのだ。もう封印されているので販売は不可能だと説明を繰り返しても納得せず、困りはてていた。

エコノミークラスでは、乗客に尋ねられたり雑用を頼まれたりで、まだ上着を着る時間がなかった。

小泉由香は老夫婦の席で、入国書類に必要事項を書き込む手伝いをしていた。

浅井夏子は成田から大阪への接続便についての説明をしている。その男性客は予約をしていないと言っているが、大阪接続を希望していた。

青木佐知子は特殊旅客の世話をしている。他のCAから彼に下痢と腹痛の症状があることを知らされ、聞き取りのためにそこに来ていたのだ。少し前に再び嘔吐《おうと》し、呼吸も苦しそうになったのでズボンのベルトをゆるめ、リクライニングを倒して楽な姿勢がとれるようにした。佐知子の目にも、かなり具合が悪いように見えた。意識も定かではないようだ。すぐにでもこのことをパーサーの浅井夏子に知らせなければと、気持ちがあせっていた。


その時だった。大音響とともに、物が見えなくなるほどの振動が発生した。次の瞬間、強烈な破裂音に続いて左側の窓の外に白い火柱が上がり、乗客の体が蹴飛《けと》ばされたように右に飛んだ。

舞い上がる埃《ほこり》と紙切れ。機内の空気は一瞬にして真っ白になり、マイナス五〇度の寒さは乗客の肌をひきつらせた。加えて、耳の奥を太い針で刺されるような痛みと、味わったことのない恐怖が襲った。

肺の中の空気は逆流して口から吐き出されたが、次に呼吸する空気はそこになかった。目の前に落ちてきた黄色いマスクに夢中でしがみついた者だけが、酸素にありつけた。乗客は悲鳴を上げることすらできず、ただ目だけを異常に見開かせていた。

ＣＡたちは爆発が起きる数秒前に、かすかな異常に気づいた。ほんのわずかな異常だったが、全員が一瞬のうちに身構えた。次の瞬間、天井から落ちてきた酸素マスクをつかみ、着装していた。彼女たちにとって、日常の訓練となんら変わるところがなかった。

テイラー夫妻と話をしていた玲衣子は、すばやくマスクを二人の口に押し付けた。浅井夏子と話をしていた大柄の男性客は、天井の物入れから鞄《かばん》を出そうと立ち上がっていたため、つかまるところもないまま頭を打ち意識を失いながら、夏子に倒れかかってきた。男性客につかまれた制服のダブルのブラウスはボタンのほとんどが弾《はじ》け飛び、その時傷ついた夏子の右腕から飛んだ血が、白いブラウスに点々と赤いシミを作った。

吉田淳子は、さんざん文句を言っていたトラブルパッセンジャーの口をマスクでふさいだ。これでしばらくの間は静かになる。

青木佐知子も素早く特殊旅客と刑事の口に酸素マスクをかぶせたが、特殊旅客はマスクの中に嘔吐してしまった。佐知子はもがくようにあばれるその男の腕を避けながら、隣の席にぶら下がっているマスクをつかみ、汚れたマスクを着け替えた。そして嘔吐物が気管に入らないように顔を横向きにした。

佐知子がホッと気を許したその時、男の無意識のひとかきが彼女のマスクを引きちぎった。佐知子は後席のマスクを取ろうと思いきり体をひねり、手を伸ばした。確かにマスクが手に触った感触があった。それを引き寄せて口にあてようとした。が、腕を伸ばした姿勢のまま、その場で通路に倒れてしまった。

機内で動いているCAは、座っている乗客よりも消費酸素量が多い。しかしギャレイには火災の危険性を考慮して酸素マスクの設備がない。そのためギャレイにいたCAたちは、近くの座席のマスクにたどり着く前に次々と通路に倒れていった。

アッパーギャレイで、収納したカートにロックをかけようとしていた一ノ瀬かおりは、異常に気づいて身構えたため、ロックをかける時間を失った。次の瞬間には重さ九〇キロのカートが飛んでくるのを目撃した。カートは、かおりのスカートを引っかけ、引き出しを押しつぶし、火花を散らしながらカウンターの下にめり込んだ。

裂けたスカートに引っ張られたかおりは、半回転してカウンターにたたきつけられ、一瞬にして気を失った。スカートの一方がカートに食い込んで、ピンで刺された美しい蝶《ちょう》のように、そのままの形でカウンターに固定された。棚の上の熱湯の入ったコンテナの止め金がゆるんで傾き、蒸気が吹き出して熱湯がぽたぽたと垂れ始めた。

クルーバンクで仮眠中の朝霧機長の顔に、壁にかけてあった制服がかぶさった。暗《くら》闇《やみ》の中でマスクを取ろうとしたが、体がベッドに固定されているため、それ以上動くことができず、制服を払いのけるのが精いっぱいだった。酸素マスクはベッドの横のパネルから飛び出し、設定通りに酸素は流れたが、意識を失った朝霧の肺には入らなかった。しばらくして腕時計の目覚ましが二〇回鳴って止まった。

トイレにいた砧機長は、異常に気づいてすぐにドアを開けた。しかし内側に開くドアが、降りてくるはずの酸素マスクを、天井との間に挟んでしまった。もぎ取ろうとして手を延ばしたが、その時はすでに意識がもうろうとなっていて、二〇秒も経《た》たないうちに崩れるようにその場に倒れた。その際、洗面台の縁に後頭部を打ち、脳震盪《のうしんとう》をおこしてしまった。トイレのドアは彼が寄りかかるように倒れたことで閉まり、マスクは空中にぶら下がって揺れていた。

コクピットに一人残っていた江波が感じた最初の兆候は、エンジン・バイブレーションだった。二番エンジンのそれが異常に高い値を示し、排気ガス温度が赤く計器に表示された。次の瞬間には猛烈な振動を伴って、爆発に近い状態で停止した。時速九〇〇キロで直進していた機体はバランスを崩し、ショックを起こしたように左に振られた。二番エンジン火災。急減圧。一番与圧装置故障。二番与圧装置故障。二番発電機故障。二番油圧ポンプ停止。たて続けに緊急メッセージが現れ、警報が鳴り渡った。

呆然《ぼうぜん》としていた。急激に抜けていく気圧を耳に感じ、異常な寒さと空気の流れを肌は訴えていた。本来なら息が苦しくなるはずだが、酸素マスクを着けていたので呼吸には問題はない。それが意識と感覚のバランスを崩していた。

——感覚に惑わされるな。計器を信じろ。

かつてたたき込まれた教育が江波を支配した。エンジン火災が起きているのだ。急減圧だけならこれほどたくさんのメッセージが出るはずがない。

エンジン火災と急減圧の二つの故障が同時に発生したと計器上で確認したとたんに、何度も繰り返し訓練させられた急減圧の処理手順《プロセイジャー》を、体が実行し始めた。警報を止め、高度を一万三〇〇〇フィートにセットする、オートパイロットに急降下の指示を出す。江波は、その指を一ミリ手前で止めた。これを押したら機体は一気に緊急降下に入る。本当に間違いはないか。

「七秒以内にマスクを着ける。一五秒以内に急降下に入る。もう一度」

訓練生時代の滝内教官の声が聞こえてきた。一五秒はもうとっくに過ぎていたが、江波はボタンを押した。

傷ついたジャンボ機は左翼を上げ、右に三〇度傾きながらも徐々に頭を下げ、緊急降下に入った。いっぱいに広げたスピードブレーキが機体をぶるぶると震わせる。

オートパイロットが正常に作動することを確認した江波は、燃えている二番エンジンの消火にとりかかろうとした。まだ急減圧のチェックは終わっていない。二つの故障が同時に起き、しかもそれを一度に処理することなど、訓練でも経験したことがない。

ともかく二番エンジンの燃料だけは止めておこう。チェックリストの順番とは違うが、この際最も簡単な処置が必要だ。中央の頭上パネルにある二番エンジン火災スイッチに手を伸ばした。指が震えているのに自分でも気が付く。一度は躊躇《ちゅうちょ》したが、すべてのシステムを二番エンジンから隔離するために、江波は思いきってファイヤー・スイッチを引いた。

――もういい、この辺までで充分だ。いつものように目が覚めてくれないものか。早くベッドの上にいる自分を確かめたい。この音もこの振動もリアルすぎる。機体全体が震えているのだ。これはスピードブレーキによる振動に他ならない。どうあがいても現実だ。

空いた右手でチェックリストを出し、一人で読み上げてゆく。操作に抜けはない。

操縦桿《かん》の送信《PTT》ボタンを押して、札幌コントロールに緊急事態を送信する。

「札幌コントロール、ニッポンインター二〇二便。緊急事態発生！　急減圧、エンジン火災発生。一万三〇〇〇フィートまで緊急降下中」

札幌コントロールからは女性の管制官がすぐに応答してきた。

《ニッポンインター二〇二便。こちら札幌コントロール、緊急事態了解。緊急降下中に障害となるほかの航空機はなし。いつでもそちらの意向に応じられるよう、待機する》

周りに他機がいないことは確認できたが、それ以上、交信している暇はなかった。現在のスピードをチェックする。運用限界速度まで加速中のマック〇・八九、セットスピードは三六五ノット。気が付けば、二番エンジンの火災を示す赤い文字が消えていた。燃料を止めたのと、急降下の風圧のおかげらしい。ホッとすると同時に消火操作を手順通りに行う余裕ができた。息を吸うたびに酸素マスクの呼吸音が耳に響く。いかん。息が荒くなっている。過呼吸症に注意しなければと、頭のどこかで考えている。

約二五〇トンの機体が、時速一〇〇〇キロで毎分三〇〇〇メートル降下していく。それでも酸素マスクを外せる高度までには三分以上かかるのだった。

急減圧が発生して緊急降下に入った客室では、自動的にベルト着用と禁煙のサインが点灯し、人工音声のアナウンスが流れた。

《ただいま緊急降下中、タバコを消して下さい。酸素マスクを着けて下さい。ベルトを締めて下さい。ただいま緊急降下中。This is an emergency descent……》

ファーストクラスのテイラー夫妻の隣にいた山本玲衣子は、インターホンをかけるために立ち上がった。機体は頭を一〇度下げた形で、細かく震えながら降下している。各座席には天井から酸素マスクがぶら下がって揺れていた。玲衣子は深く息を吸ってから自分のマスクを外し、後列のマスクをつかみ口に当てる。そのようにして、次々とマスクを取り替えながら椅子《いす》の背をつかみ、後方へ通路をよじ登るように歩いていく。

浅井夏子も同様にキャビンを移動し、携帯用酸素ボンベのあるCAシートまで一分かかってたどり着いた。

高空で与圧が失われた場合、きちんとマスクを着けられる乗客は、過去の統計によると四〇パーセント以下である。マスクを着けた人でも、それまでに機内で呼吸してしまった場合、血液中に取り込まれる酸素量は極端に減る。そして酸素量の不足した血液が、肺から脳に達する一五秒後には意識を失う。酸素マスクのゴムバンドを頭にまわしておくのは、その際に落としてしまわないためである。

　夏子は、マスクを着けられずに気を失っている乗客を探してはマスクを装着していった。重量のある携帯用酸素ボンベを肩にかけ、一〇度傾いた機内を動きまわるのには並々ならぬ体力が必要となる。袖《そで》が裂け内側のボタンだけで止まっているブラウスの胸は、大きく上下していた。

　事故当初、ほとんどの乗客は自分の席にいたのでマスクを着けることができたが、エコだけでも一四人の乗客が気を失っていた。他の四〇人近くの乗客はすぐに意識をとり戻したが、通路に倒れている青木佐知子のところに助けが来るまでには、まだまだ時間がかかった。

　小泉由香は受け持ち区域の乗客に異常がないことを確かめると、Eキャビン一番後方の自らのポジションにたどり着いた。報告のためインターホンを左耳にあて、呼び出しを待つわずかの時間を利用して、片手でキャビンの様子を写真に撮った。高校のときからカメラが趣味の由香は、いろいろな国の写真を撮りたくてこの世界に入ったのだ。実は勤務中にもカメラを離したことがない。瞬《また》く間に一本を撮り終えたあとは恐怖で手が震え、フィルムを替えることができなかった。

　吉田淳子も行動を開始するのが早かった。受け持ち範囲の乗客にマスクを着け、怪《け》我《が》をした乗客と破損箇所を確認し、クルー間の連絡のため自分のポジションに戻った。ビジネスクラスの窓が一つ壊れ、耳が痛くなる程の音と空気の振動があたりを覆《おお》っていた。幸いその付近は空席だった。

二階ビジネスクラスの乗客六人全員が無事であることを確かめた早川さなえは、一ノ瀬かおりの姿が見えないことに気づいた。ギャレイはカーテンが閉まっていて中が見えない。

さなえはCAシートの床に収納してある携帯用酸素ボンベを取り出し、それを装着して座席の背もたれをつかみながらギャレイまでたどり着いた。カーテンを開けた瞬間、マスクの中で息をのんだ。エアコンが効かなくなったギャレイには、気温が下がっているせいで湯気が充満していた。その中でカウンターに身をよじるような体勢でかおりが気絶している。

機体が前に傾いたことであふれた熱湯が、棚を伝わってかおりの肩にポタポタと落ちている。湯気はそのためだ。このまま何かのショックがあれば、熱湯の入ったコンテナは間違いなく台から外れ、かおりは熱湯を頭からかぶることになる。

すぐに助け出そうとしたが、かおりのスカートがカートに挟まれていて動かせない。カートを動かそうとしても、カウンターにくい込んでいてびくともしなかった。スカートの挟まれている部分を切り落とすか、スカートを脱がせるか。そこまで考えたとき、緊急時用のフラッシュライトとナイフを身に着けていないことに気づいた。

引き出しから調理用のナイフを出そう。しかし引き出しはつぶれていて、ほんのわずかしか開かなかった。隣の引き出しの取っ手を握った瞬間だった。

「あっ！」

体ごとはじき飛ばされたさなえは、マスクの中で喉《のど》の奥から絞り出すような悲鳴を上げた。漏電している。心臓が止まるかと思ったほどの電気ショックを受けた。しびれた体を持ち上げると、カートの電源を切るためにスイッチをぐっと押した。

「……」

滲《し》みるようなやけどの痛みが、手先から頭の芯《しん》まで走った。またしてもマスクの中で声にならない悲鳴を上げてしまう。熱く焼けたスイッチ・パネルからさらに火花が上がり、ギャレイの照明が消えた。やけどの痛みと、注意を怠った自分自身に涙がこぼれた。火花が酸素マスクに引火せず、火だるまにならなかったのは、単なる偶然だった。

早く一ノ瀬さんに酸素を与えなければ。

さなえはカート運搬用のエレベーターの棚に、防煙マスク《スモークフード》があったのを思い出した。

あれなら酸素が一五分間吸える。

急いでフードを取り出す。酸素の流れる音を確認すると、すでに唇が紫色に変色したかおりの頭にかぶせた。息が荒くなっていたが、休んでいる時間などなかった。熱湯の入ったコンテナの電源を止め、外れかけた止め金をかけ直し、周りにガムテープを何重にも貼《は》り付けて固定した。ガムテープはやけどをした腕から流れた血で、赤く染まってゆく。

さなえはナイフを取りに自分のCAシートに戻ろうとした。二、三歩行ったところで、急にそれまでの振動が止み、床に押し付けられるような垂直加速度がかかった。機が水平飛行に戻るためにスピードブレーキをたたみ、降下率を押さえ始めたのだ。完全に水平になるまで加速度は消えず、片膝《かたひざ》をついたまままそこから動けなかった。

一万三〇〇〇フィート（三九六五メートル）で水平飛行に移った二〇二便は、速度を二八〇ノット（五一八キロ）に減速した。

緊急事態を切り抜けた機内では、すべてのインターホンのチャイムが鳴り、ライトが点滅を繰り返して、コクピットからの緊急呼び出しがかかっていた。インターホンを取れるところにいたCAは、すぐに応答した。しかし酸素マスクで口と鼻が覆われているので、そのままではしゃべっても言葉として聞こえない。そのため受話器を喉に押し付けてしゃべる。声帯の振動を受話器に感知させるのだ。

「はい。L1《ワン》の山本です」

玲衣子自身が自分の声とは思えないほどくぐもった声が、耳に当てた受話器から聞こえてきた。

《R5小泉です》

《UR早川です》

《緊急降下完了。マスクは外してOKだ。山本さん、キャビンにアナウンスを頼む。被害状況を調べてコクピットまで報告してくれ》

機長からではなく、江波のこもった声だった。酸素マスクのマイクで話しているからだろう。

「了解しました。まとめて報告します」

《頼む》

江波との会話はそれだけで終わった。

《客室の窓が一つ壊れています。ものすごい音です》

ＣＡの誰かがひどい騒音を背後に答えてきた。

《後方ギャレイで鈴木さんが倒れています》
《メインギャレイです。ここでも二人倒れています》
《アッパーギャレイで、一ノ瀬さんがカートに挟まれています》
山本玲衣子は自分の酸素マスクを外し、そのまま各ステーションに、怪我《けが》人、破損箇所、不具合箇所を調べてL1まで報告するよう指示した。呼吸を整えると、マイクのスイッチをインターホンからキャビン・アナウンスに切り替えた。
「お客様にご案内申し上げます。ただいま機体与圧装置の故障により、緊急降下を実施いたしました。現在安全高度に達しましたので、酸素マスクをお外し下さい。今後、酸素マスクの必要はございません。Ladies & gentlemen, we have……」
酸素をいつまでも流しておくと火災発生の危険があるため、江波はキャビンの酸素を止めた。そこまでの操作を終えると、急いでアッパーを呼び出した。
《はい。UR早川です》
ひどく疲れた声が返ってきた。
「大丈夫か?」
《はい。元気です。若いから》

「よかった。すぐにトイレを見てくれ。砧キャプテンが帰ってこない。クルーバンクのチェックも頼む。キャプテンを呼んできてくれ」

《えっ！　キャプテンがいらっしゃらないんですか？　江波さん一人なんですか！　わかりました。すぐにかかります》

早川さなえは前方に飛んでいき、横のドアからクルーバンクに入った。椅子のある小部屋は空だ。扉を開けてベッドの部屋に入ろうとしたが、ドアが開かない。どこかに鍵《かぎ》があるはずだ。必死で探した。やっと、壁の下に紐《ひも》でぶら下がっている鍵を見つけた。ドアを開けると中は真っ暗で何も見えず、ライトのスイッチもわからなかった。ドアを開け放つために、毛布を挟む。薄明かりの中で、二段ベッドの上の段に朝霧機長がマスクも付けずに横たわっているのがわかった。さなえは朝霧の両肩に飛びついて揺すった。

「キャプテン、大丈夫ですか」

意識はなかった。ベッドに転がっているマスクの酸素はすでに止まっていた。クルーバンクから飛び出したさなえは、携帯用酸素ボンベを肩に下げて戻ってきた。マスクを朝霧の口に当て、コックをひねる。気体の流れる音を確かめながら気を失っている朝霧の顔をのぞく。
「キャプテン、しっかりして下さい。お願い」
祈るような気持ちだった。さなえは左手でマスクをおさえつつ、包帯を巻いた右手でインターホンをベッドの上に置き、まだ血の止まらない指でチーフパーサーを呼び出した。
「L1山本です」
《山本さん！　アッパーの早川です。すぐに来て下さい。早く。アッパーのクルーバンク。キャプテンが倒れているんです。江波さんがたった一人で飛ばしているの。タヌキもトイレに閉じ込められているらしいの。お願い、早く》
最後は泣き声だった。玲衣子はすぐに夏子を呼んだ。
《L4浅井です》
「早川さなえからの連絡によると、キャプテンが二人とも倒れているらしいの。上に行くから、ちょっとこっちに来て」
《えーっ！　キャプテンが倒れたって。で、どうなってるの？》
「江波さんが一人で飛ばしているらしいの。こっちで負傷者と被害状況をまとめてよ。

いままでに届いた報告は、ここにまとめてあるから」

言い終わると玲衣子は急いで階段を上がっていった。

二〇二便の付近の航空機は迂回《うかい》させられるか、高度を変更させられているのが無線でわかった。高度を一万フィート以下に下げないと、コクピットでは酸素マスクを外すことができない。札幌コントロールは、すぐに降下の許可をくれた。江波は高度を九〇〇〇フィートまで下げ、酸素マスクを外した。

高度を極端に下げたことで心配になってくるのは燃料だった。低高度は空気の密度が高いので抵抗が大きい。その分燃料を多く消費する。

インターホンのチャイムが鳴った。

《R2の吉田淳子です。エコノミークラスが非常に暑いようです。R2のキャビン温度調整パネルではまったく調整できません。現在三一度にまで上がっています》

「了解、すぐにチェックする」

与圧装置は三台とも故障で止まっているはずだった。もう一度画面に呼び出しチェックする。

グリーンのラインがつながっている。第三与圧装置がまだ作動しているのか？　通常ならばテンプ・コントロールが故障してもバックアップ・システムが作動するはずだ。おかしい。なぜだ。

「どうすりゃあいいんだ。こんなの習ってない」

混乱した中で、江波は叫んでいた。しかしいまは原因を調べている暇はない。与圧装置を作動させることは、燃料をよけい消費することにつながる。江波は役に立たない第三与圧装置を止めた。

成田より千歳《ちとせ》のほうが近いかもしれない。江波は航法画面に最寄《もよ》りの空港を表示した。千歳のほかに秋田と函館《はこだて》という選択肢があった。秋田が最も近かったが、江波が最後に秋田に降りたのは、B767に乗っていた頃だから二年半ほど前になる。函館は千歳よりわずかに近い距離だった。

「よし、函館だ」

急いで航空路図を広げる。函館に向かう航空路を調べようとしたが、航空路がない？　千歳にも……ない！　江波の頭にまた血が昇った。汗がチャートの上にこぼれ落ちる。今のいままで、日本海上空に北海道へ向かう航空路がないことを知らなかった。函館へも千歳へ行くにも、自衛隊の訓練空域を突っ切るしか方法がない。それも特別の許可をもらってだ。当然のことだが、コンピューターのセットアップも大幅に変更する必要がある。これもたった一人でこなさなければならない。

このまま成田まで行けないだろうか。

震える指でコンピューターに巡航高度を九〇〇〇フィートと入力し、燃料を見た。二時間四五分。万が一成田に降りられない場合でも、羽田まで行ける燃料はある。もう一度残燃料《ざんねんりょう》を確認する。江波はほっとして、このまま成田に向かう決心をした。

二時間四五分。それは江波の、いや乗員乗客一五〇名の〝生存可能時間〟を意味していた。


コクピットのドアを開けて、山本玲衣子は思わず立ち止まった。左側の機長席が空いている。がらんとした感じなのだ。それにいつもと違って、赤やオレンジのライトが輝いている。異様な光景の中に江波が一人で座っていた。

「江波さん。キャプテンが倒れたって本当？」

「誰も帰ってこない。すぐ様子を見てくれ。クルーバンクだ」

江波が振り返り、左手で後ろのドアを指さした。早川さなえから事情を聞いた玲衣子は、すぐに砧機長が閉じ込められたトイレを開けようとした。しかしどうやってもドアは開かない。内側に折り畳むように開くドアに寄りかかる形で倒れているようで、どうしても開けることができない。

「江波さん。エマージェンシー用の斧《おの》を貸して下さい」

「後ろの壁のシャッターを上げて。左側だ。その中に入っている」

「はい。大丈夫です。取り出せました」

玲衣子が一撃する。蝶番《ちょうつがい》が壊れたようだった。幸いキャビンとトイレの間にはカーテンがあり、客席からはその様子は見えない。


江波はそれを見ている暇はなかった。電気系統のトラブルの解決に戻る。異常を示すメッセージがあまりに多く出ているので、その中から電気関係のものを選び出して考える必要に迫られていた。ギャレイ・バス（ギャレイに電力を供給しているライン）の異常が示されている。自動的に処理されるはずだが、なぜか、されていない。それは他の部分に負担がかかっていることを意味する。すぐにスイッチを切ろうとしたが、その時オンを示すライトが消えた。なぜだ？　電気系統の表示をチェックする。故障した二番エンジンの発電機のほかに、一番エンジンの発電機のブレーカーが外れている。四つの発電機のうち、二つしか作動していない。電力の供給が半分になったので、コンピューターが優先順位の低い機器を停止させ始めたのだ。

発電機のリセットは一度ならできるが、原因がわからないままに行うと、故障を広げる可能性がある。新型の機体になるほど電気によって制御されるシステムが増えてゆく。計器ですらブラウン管に表示されているのだから、電気がなくなるのが何よりも怖い。

ドアが慌《あわ》ただしく三回ノックされ、玲衣子が入ってきた。

「江波さん、砧機長もだめよ。意識がないの。一応携帯用の酸素マスクで処置しておいたけれど。あとで応援を一人来させて、さなえと二人でクルーバンクに運ばせるわね」

「了解」

江波はリストを片手に電気系統のチェックをしながら答えた。

「メインキャビンでビジネスクラスの窓が一つ壊れて、その付近は空席だったのでよかったけど、恐ろしい音がするの。歩くと吸い出されそうで、みんな怖がってて。それから……、お客さんがこの飛行機大丈夫なのかって心配されているの」

「機内と外気の圧力差がもうほとんどないから、吸い出される心配はないって言ってくれ。他に壊れたところは？」

振り向くと、玲衣子はフラッシュライトと小さなナイフの付いた紐をたすきがけに下げ、立っていた。フラッシュライトは各ポジションにも備え付けの物があるが、離着陸時と緊急時には身に着けておくというCAの規則を思い出した。ライトは煙が出たり電気の消えたりしたキャビンでは、誘導や合図に役立つ。ナイフはエスケープスライドや救命筏《いかだ》が機内で誤って膨らんだ場合、脱出の妨げになるそれらを切り裂くために持っているものだ。

「そのほかの被害状況は、夏子が調べています」

「この便には会社の関係者とか、整備かパイロットは乗っていない？」

「駄目よ。誰もいないわ。それはロンドン出発前にチェック済みよ」

「キャビンの乗客には、状況をアナウンスした？」

「安全高度に降下したので酸素マスクの必要はない、というアナウンスはしたわ」

「状況説明のアナウンスもしてくれないか。現在飛行に問題ないということと、速度を落としたので成田到着まであと一時間四五分。簡単でいいから」

玲衣子は少したためらった。

「でも、皆さん、とても不安そうなの。コクピットからアナウンスしたほうが安心すると思います。できればなんとかアナウンスしていただけません？」

江波が右手をイヤホーンにあて、左手で玲衣子との会話をさえぎった。

「了解。識別信号を送る」

江波は無線に答えながら二次監視レーダーの識別ボタンを押した。

「その通り。対空速度二八〇」

それだけ言うと玲衣子に向き直った。

「どうしてもしなきゃだめかな」

江波は普段からアナウンスが苦手だった。学生時代から、人前で喋《しゃべ》ることが大嫌いだった。

「江波さん、緊急着陸で放送装置《PA》を使う可能性が考えられるし、すべてのキャビンでコクピットからのアナウンスが聞こえているかどうか、チェックする必要もあるんじゃないの？」

「わかった。それじゃなるべく早くするから」

「ごめんなさい。本当にお忙しいのに。江波さん、声がいいから大丈夫よ。ＰＡのチェックの結果は、あとで報告します」

「玲衣子さん」

江波は出ていこうとした玲衣子を呼び止めた。

「こんな状態になってしまって、ごめん。キャプテンが二人とも操縦不能《インキャパ》になるなんて、信じられないよ。今は、とてもキャビンのことまで考えがまわらないんだ」

操作に追われていたときには感じなかった不安が、一段落したいま江波の中に押し寄せていた。

「もう参ったよ。エンジン一台と与圧装置、それと電気系統の一部が故障している。チェックリストにないようなことまで起きてるんだ。朝霧キャプテンさえいてくれたらと思うと」

「でも、ちゃんと飛んでるじゃない？　ともかくここはみんなでなんとかしなくちゃならないのよ、江波さん」

「わかってる。二人の機長が倒れたって、乗客には知らせないほうがいいと思うんだけど、どうだろう？」

機長が倒れたことを乗客が知れば、心配を倍加させることは間違いないと江波は思った。

「そうね。でも機長と副操縦士の違いは責任と経験の差だけでしょう？　訓練は同じように行われているんじゃないの。江波さん、いまはあなたなのよ、あなたが機長なのよ！」

「ああ、わかっている。本当に大変なのはこれからだと思うけど。よし、成田までがんばればいいんだ。成田までは、もうすぐだ。地上でも緊急態勢に入っているし、ここが踏ん張りどころだ」

「うちの班の子は優秀だから、キャビンのことは心配しなくて大丈夫よ。私、コクピットにいると何か落ち着かないから、もうキャビンに戻るわ」

「玲衣子さん、ありがとう」

別れ際《ぎわ》に瞬間ではあったが、二人の目が合った。玲衣子は出ていった。江波は電気系統のトラブルの対処に戻った。少し自信がわいてきたようだった。


山崎リサが通路に倒れていた青木佐知子を見つけた。

「青木さん、佐知子さん」

名前を呼びながら肩を揺すったが、すでに親指の爪《つめ》が紫色に変色していて、意識はなかった。リサは肩にかけた携帯用ボンベを降ろし、青木佐知子の口にマスクをあてた。泣きながら何度も名前を呼び続けた。椅子《いす》に寝かせようとしてみたが、意識を失っている人間はとてつもなく重い。女一人の力では無理だった。仕方なくそのまま体に毛布をかけた。

うめき声が聞こえたので見上げると、一つ前の席で特殊旅客が、椅子から体半分通路にずり落ちたような格好で座っていた。彼の片手は床に垂れており、まだ酸素マスクも着けたままだ。

「お客様、お客様。もうマスクは必要ございません」

声をかけたが反応がない。手を伸ばして酸素マスクをそっと外すと、中から嘔吐物《おうとぶつ》があふれてきた。大変だ。このままでは窒息死する。

驚いたリサは彼をうつむかせ、背中を軽くたたいて口の中の嘔吐物を出させた。急いでメディカル・セットを取って戻ると、中からゴム手袋を出して着け、指で彼の口を開けて嘔吐物が残っていないか調べた。幸い男は横を向いていたので、気管には入らなかったようだった。

「お客様、大丈夫ですか」

リサは彼の口に耳を近づけ、呼吸を調べた。かすかだがまだ呼吸はあり、頸骨《けいこつ》動脈に当てた指には脈動が感じられた。その曲がって伸びた右手は、隣の刑事と手錠でつながれたままだった。刑事も手錠に引きずられるようにして隣の椅子に倒れ込んでしまい、その拍子にマスクがずれて充分に酸素が吸えなかったらしい。ひどい頭痛と目眩《めまい》に悩まされていると訴えた。すぐに刑事に手錠を外してもらうと、インターホンまで駆け戻り、L1にいるはずのチーフパーサーを呼んだ。しかし呼び出し音がむなしく鳴り続けるだけで、返事はなかった。

浅井夏子は、アッパーギャレイの被害状況を調べるために階段をかけ登っていた。一ノ瀬かおりのことも心配だった。薄暗いギャレイをのぞくと、スモークフードを着けたかおりが、挟まったスカートに支えられるようにぐったりとなっている。意識はかすかにあるようだ。後ろから抱きかかえるようにして引っぱり出そうとしたが、駄目だった。かおりのスカートのホックを外してみたが、挟み込まれているために腰より下に降ろすことができない。しかも足を抜き出すには高すぎる。

夏子は首から下げている折りたたみ式ナイフの刃を引き出すと、体でかおりを支えるようにして、スカートのチャックの下から縦に切った。カウンターに挟み込まれているスカートが切り離されると、かおりの体重がそのまま夏子にかかってきた。夏子は両手に満身の力を込めてかおりを支え、静かに床に降ろして寝かせた。左足の腿《もも》からの血が破れたストッキングに滲《にじ》んでいる。薄いグレーの下着を着けたかおりの下半身は、夏子に三年前のニューヨークでのことを思い起こさせた。

あのときかおりはハンサムなアメリカ人の乗客に誘われ、楽しそうにパーティに出かけていった。その翌日、麻薬とレイプで傷ついた体で戻って来た彼女に、夏子は一日中付き添ったのだった。この娘《こ》はいつも災難に遭《あ》ってしまう。傷はたいしたことはないが、まだ出血が続いていた。ストッキングをそっと脱がせ、上の棚から救急箱を取り出し、包帯を巻く。このままでは、かわいそうだ。挟まれている部分を切り取り、体を持ち上げて、ずたずたに裂けたスカートをもう一度着せた。びしょ濡《ぬ》れの上着を脱がせ、客席から毛布を持ってきて下に敷いた。毛布を上からもかけて携帯用酸素マスクを着け、手当を終えた。

キャビンに出た夏子の頭の中は、依然として不安でいっぱいになった。高度を極端に下げたキャビンの窓から、日本海の大海原がこちらに迫ってくるように見える。

密輪ではなく、やはり殺人計画が進行しているのだ。犯人はエンジンを故障させた。これはまだ計画の第一段階なのかもしれない。夏子は急いで階段を降りていった。

＊

山本玲衣子が医療関係者の呼び出しをしようと、メインギャレイの横の通路まで来たとき、江波のアナウンスが始まった。乗員乗客も全員が、それに吸い付けられるように真剣になって聞き入っていた。

《……乗客の皆様に、現在の……状況につきましてご案内いたします》
頼りない声で話し出した。
《すでにおわかりのことと思いますが、エンジンの一つが故障しました。その時の破片がキャビンの窓を壊し、また与圧装置にもダメージを与えたものと思われます》
アナウンスは途中からだんだんはっきりした声に変わっていった。玲衣子は胸をなで下ろした。
《現在は高度を降ろしましたので、酸素マスクの必要はございません。残りの三基のエンジンはすべて正常に作動しておりますので、ご安心下さい。念のため、速度を落としています。成田空港到着まで、あと約一時間四〇分をみております。ご気分のお悪い方、お怪我をされたお客様は、お近くの客室乗務員におっしゃって下さい。成田空港にはすでに連絡が取れております。地上は万全の態勢で準備いたしております。この先、着陸に際し、充分な備えをいたしますので、必ず客室乗務員の指示に従っていただくようお願いいたします。快適な機内とはいえませんが、しばらくの間、ご辛抱下さい。May I have your attention please Ladies and Gentlemen, ……》
江波のアナウンスが終わる前に、ギャレイの中でインターホンチャイムが鳴った。受話器を取ると、山崎リサからだった。

事情を聞いた玲衣子はすぐに41Jの席に向かった。特殊旅客を看《み》ていたリサは振り向くと「山本さん、すみません、ちょっとお願いします」と立ち上がった。

「水と、他に必要なものを取って来ますので。患者さんに直接触れるときには、メディカル・セットのゴム手袋を必ず使って下さい」

玲衣子はリサと交代してその乗客のうえにかがみ込んだ。頬がこけ目が落ち込み、口の周りが粘ついている。脱水症状？　それとも似た症状の病気？　嘔吐したことは聞いていたが、それだけで脱水症になるとは信じがたかった。すぐ横のシートには青木佐知子が酸素マスクを着けて横たえられている。彼女の様子も見ておこうと腕に手を当てた。

佐知子は少し意識が戻っているのか、手が動くので脈が取れない。手に紙が握られている。特殊旅客の症状が記されている。三度の嘔吐と下痢、体温三八度五分、脈拍八六。特殊旅客の嘔吐物の量や内容まで、経過を追って記入されていた。玲衣子は水とドクターズ・キットを持って戻ってきたリサに、医療関係者を呼び出すよう指示した。その時になって、リサが以前は看護師だったことを思い出した。

「いいわ。私がアナウンスするから。この二人をお願いね。佐知子さんがこのメモを手に持っていたわ。参考にして下さい」

メモを見たリサは、わっと泣き出した。リサの代わりに佐知子が倒れたのは明らかだった。

「青木さんは私の代わりに倒れたんです」

玲衣子に打ち明けることで緊張が解けたのか、リサは佐知子の上にかぶさるようにして泣き続けた。

「リサ、しっかりなさい。泣いているときじゃないわ、いまあなたが働かなくてどうするの。あなたはナースでしょう」

リサを佐知子から引きはがし、こちらを向かせた。

「ナースなら、しっかりなさい。彼、脱水症状に間違いないわよね」

玲衣子の問いにリサはうなずいた。それがきっかけになってなんとか元看護師としての自分を取り戻したのか、リサは特殊旅客の手当をてきぱきと始めた。


江波がアナウンスを終えるとすぐに、キャビンの被害状況を知らせるインターホンが夏子から入った。

《キャプテン、アナウンスありがとうございました。あの衝撃でパイロットも倒れたんじゃないかって、お客様が動揺し始めたところでした。キャビンの被害状況ですが、乗客の負傷は九名、そのうち五名は打撲です。残りの方ですが一名は膝《ひざ》をひどく負傷され、歩くことができません。二名は鼻血で、まだ止まっていません。特殊旅客ですが、かなり容態が悪く、現在医師の呼び出しを行っています。減圧症の影響と思える方は三五名ほどです。ＣＡは、現在五名が負傷などで動けません。メインキャビンで27Ａの窓が一枚破れ、天井に穴が開いています。幸いその付近は空席で、どなたもいらっしゃいませんでした。近辺のライトがすべて消えています。これから被害箇所へ近寄れないように、通路をふさぎます。またアッパーギャレイでカートが暴走して、かなりいろいろなところを壊したようです。以上です》

「了解。成田に連絡しなければならないので、あとで紙に書いてこっちに届けてくれないか」

《了解しました。のちほどキャプテンにお持ちいたします》

通信を切ってから、また〝キャプテン〟と呼ばれたことに気づいた。江波は責任の重さとともに、心細さにぞっと背すじが冷たくなった。

江波は電気系統のチェックに戻った。ギャレイ・バス異常の原因はわかったが、画面に現れる警報のメッセージは、急に増えたかと思うと、また減少したりと絶えず変動を繰り返している。通常では起こりえない現象だ。発電機《ジエネレーター》をチェックリストに従ってリセットしようとして、江波はノースウエスト航空の事故を思い出した。

成田空港から上昇中、二万六〇〇〇フィートでジェネレーターの送電線が燃料パイプとこすれてショートし、小さなスパークが発生したことから事故は始まった。

スパークの熱で燃料パイプが溶け、漏れた燃料に火がついた。火は瞬間に広がり、信号を送る電線を焼いた。信号ケーブルの焼損によって異常信号が発生し、膨大な数のメッセージが現れた。だが肝心の火災を示す信号は、コクピットの計器まで伝わらなかった。しばらくすると、異常信号によるまったくの偶然によって、ジェネレーターは自動的に送電線から隔離された。その結果、幸運にも火花を飛び散らしていた電気スパークも止まり、燃え広がった火災も小さなパネルを吹き飛ばしただけで、そこから巻き込んだ風によって自然に消された。

当然のことながら、この間いったい何が起きたのか、乗っていた四人のパイロットの誰にもわからなかった。成田に引き返す途中、彼らはチェックリストに従ってジェネレーターをリセットした。その時、本来ならばつながってはいけないものが、つながってしまった。再び高圧電流が流れたために電線は焼けただれ、スパークは着陸まで続いた。着陸後、空気の流れが止まると同時に再発した火災は、コクピットの計器には示されず、管制塔からの目撃によってパイロットに知らされたのだった。

江波はジェネレーター二台だけでも、現状では飛行にさしつかえないと判断して、リセットを中止した。それにしてもこのように様々なメッセージが出る原因がわからなかった。

電子機器室《EEコンパートメント》のどこかに異常が発生しているのだろうか。飛行機の頭脳ともいえるところだ。もし、そこにまでトラブルが及んでいるとしたら。

また体中がじっとりとした汗で包まれてくるのを感じた。後ろで声がしたので振り返ると、驚いた顔をした小泉由香がコクピットに入ってきた。コクピットのドアの横のトイレに、酸素マスクをして倒れている砧を認めてショックを受けた様子だった。

「CPからこれを持っていくようにと指示されました」

差し出された紙には被害状況が書かれていた。

「伝言があります。キャビンの放送装置《PA》は異常なしとのことでした。現在、医療関係者の呼び出しをしていますが、まだ申し出はないそうです。詳しくはあとでお知らせするそうです」

由香の話が聞こえたのだろう、早川さなえがクルーバンクから呼びかけてきた。

「由香、砧キャプテンをクルーバンクに運ぶの、手伝って！」

江波は出ていこうとする小泉由香を引き留めた。

「お客さんの様子はどう?」

「キャプテンのアナウンスで一応落ち着いています。CAは五人倒れました」

言い終わるとすぐにクルーバンクのドアを開けて中に入っていった。ドアの向こうで由香の驚いた声がまた聞こえた。

被害状況にひと通り目を通した江波は、残燃料《ざんねんりよう》のチェックを終えると成田に報告するためにACARSに向かった。何かメッセージがプリントアウトされている。切り取って中央計器台《ペデスタル》の上に置き、現在の被害状況をキーボードに打ち込み始めた。その間、ほかのことが何もできなくなるので、とりあえず負傷者の数だけを送信した。

札幌コントロールが呼んできたのと、由香が戻ってきたのは同時だった。札幌は二次レーダーの応答信号が非常に弱いと訴えてきた。すぐにナンバー2に切り替えたが、今度は受信されないと言う。また元に戻す。弱いながらも受信可能だとの返事があった。

「キャプテン、よろしいですか?」

由香は江波の通信が終わるのを待っていた。

「私、キャビンに戻ります。砧キャプテンは頭を打たれているようです。なるべく動かさないほうがいいと思いましたが、あの場所では不安定なので、さなえと相談してクルーバンクに移しました。酸素は充分出ていますので、あとはさなえに任せておけば大丈夫です。ＣＰにご伝言ありますか？」

「いまのところ何もない。ありがとう」


玲衣子は額の汗を拭《ぬぐ》いながら機内をゆっくりと見回した。いつもは気にも止めないようなものが、はっきりと浮かび上がり目に飛び込んでくる。

たとえば非常口である。半数の非常口を使用するだけで、搭乗者全員が九〇秒間に脱出できるように設置されている。それは火災が発生した場合、火焔《かえん》が機内をなめ尽くすのに一二〇秒しかかからないことから決められた規定による。

あるいは非常口の方向を示す床に並ぶ小さなライトだ。火災によってキャビンに有毒ガスが立ちこめたとき、天井で非常口を示すサインは、上にたまる黒煙によって乗客からはまったく見えなかったに違いない。火災発生の二分後には、人間の頭の高さで摂氏一〇〇度以上に達するという機内で、毒ガスと熱で苦しみ、脱出口を求めて這《は》いまわり、死んでいった多くの犠牲者の残した爪痕《つめあと》が、現在、床にある誘導ライトを生んだのだ。このライトのおかげで乗客が非常口にたどり着くのが、以前より約五〇パーセント近く早くなったという。

そして、すべての座席には頭の上までを覆《おお》う背当てがついた。生存可能事故の平均的衝撃といわれる四Gがかかったとき、ポケットから飛び出したボールペンやコインなどは四倍の重量をもって機の停止直前の速度、時速二〇〇キロ以上でキャビン内を飛ぶことになる。危険物から頭を守る設備がこの背当てだ。

キャビンには角のあるものは一切ない。装備品のすべてに、失われた人命という教訓が生きているのだ。

玲衣子は乗客に目を移した。ほとんどの乗客はこの非常口を示すライトのことも、ライフベストのつけ方も、酸素マスクの使い方も、非常口の開け方や脱出方法さえも知らないだろう。

座席前のポケットに入っているパンフレットに、すべて記載されているというのに、目を通す人は統計上たったの五パーセントだという。乗客は航空事故に遭ったら最後だとあきらめて、読まないのかもしれない。事故が起きた時、読んでいた人の負傷率は一六パーセント、読まなかった人のそれは五五パーセントまではね上がるというのに。

人々は航空機の安全性を、過小評価しすぎてはいないだろうか？　昨年だけでも世界で定期航空を利用した人は一四億人。その中で事故に巻き込まれた乗客は約五〇〇〇人、死亡した人は確か四二〇人前後だったはずだ。事故に遭っても死亡率は一割にも満たない。どうしてこのことは知られないのだろう。

一般的な乗客は、航空機事故の七五パーセントは死亡事故と考えているらしい。でも実際の死亡事故は事故全体の一五パーセントにしかすぎないのだ。

キャビンの中はまだ混乱してはいたが、最初に比べて一応の落ち着きを取り戻しているようだった。動けるCAは六名しかいなくなったために、ほとんど全員が負傷者にかかりきりになっている。乗客の中から、看護師が二人、名乗り出てくれたのは幸いだった。二人には特殊旅客の手当にあたってもらっている。

玲衣子は時計を確認した。あと一時間半ですべての答えが出る。それまでに自分は何をすべきなのだろう。

インターホンが鳴った。江波からだった。乗客に航空関係者がいないか、特にパイロットか整備関係者がいるかすぐ調べてほしいという。何度も呼び出しをしたが、そのような乗客はいなかった。

「駄目よ、誰もいないわ。夏子が、セスナをやってるけど」

《そうか。ともかくすぐに彼女をよこしてくれ》

「了解」

……頭が痛い……！

一体どうなってるんだ？

新庄は意識をとり戻した。なにかが起きたようだったが、わからない。いつの間にか床に寝かされている。口の中が胃酸で苦い。

スチュワーデスと女二人が俺の世話をしてくれているようだ。何だそのマスクは。看護婦か？

声が、出ない。どうして声が出せないのだろう。少し頭がハッキリしてきた。そうだ、俺はこの飛行機で護送されていて、逃亡のためにハイジャックをするはずだった。組織？　待てよ、俺のこの目眩《めまい》も、吐気も組織の仕業か？　誰かが毒を？　だけどいつそんなチャンスがあった？　この中に組織から送られた……奴《やつ》がいるのか。うーっ…吐き気が。頭が痛い。おれは……、俺は、このまま死ぬのか。

インターホンのチャイムが鳴った。玲衣子からだった。声に切迫感がある。

《江波さん、お忙しいところすみませんが、お客さんの中でかなり具合の悪い方がいらっしゃいます。特殊旅客の男性です。山崎リサは以前看護師だったのですが、リサが水平に寝かせたほうがいいと言うので、先ほどエコのギャレイに移動して床に毛布を敷いて寝かせています。乗客の中から申し出て下さった、二人の看護師さんにも診ていただいているんですが、脱水症状がひどく、早急に点滴が必要とのことです。しかし点滴をするには医師の指示が必要で、看護師さんの判断ではできないんだそうです。この便に用意してあるドクターズ・キットは、医師または医師の指示を受けた者以外は規定上使えませんが、この便にはあいにくお医者様は乗っていらっしゃいません。そこで機長の許可のもとに点滴をしたいと言っています。緊急事態ということでよろしいでしょうか？》

「ちょっと待ってくれ。俺は機長じゃないし、医者でもない。そんな権限はないよ。こいつを飛ばすだけで手一杯なんだ。もうすぐ無線が届く距離になるから、成田に聞ける。それまで待てないか」

このうえ医者のまねごとまでしたくはない。自分の仕事の領域を遥《はる》かに超えている。医療の知識がまるでない俺の許可なんかが、なぜいるんだ？

《早急に点滴をしないとショック症状になる可能性があるそうです。江波さん！　いまの機長は江波さんです。遅れたら人命に関わりますので、すぐに許可いただけませんか》

「待ってくれよ。処置が間違っていたら、下手をすると殺人になるんじゃないか？」

《江波さん、何を言ってるんですか。あ、また連絡します。苦しんで失禁されたようで、私も手伝いますから》

インターホンが切れた。

医師でもないのに、他人の体に針を刺したりしたら、傷害罪になってしまうではないか。江波は相談する相手もいないまま、迷いに迷ってインターホンのスイッチを切った。

「江波さん、浅井です。遅くなってすみません。さっきＣＰから、こちらでお手伝いするように言われました」

コクピットのドアが開く音とともに、浅井夏子の歯切れの良い声が飛び込んできた。

江波はホッとした。このまま一人では不安だった。この機体は二人で操作するように作られている。パイロット二人が必要なのだ。夏子が脇《わき》でチェックリストを読んでくれるだけでも助かるし、少なくとも相談する相手ができた。

「浅井さん、飛行機やっているんだってね」

江波はコンピューターから目を離せず、振り返ろうにもタイミングが悪かった。

「はい。でもセスナでたったの一二時間三五分よ。こんなすごいのじゃないわ」

夏子が言い終わらないうちに札幌コントロールが呼んできた。東京コントロールに管制移管するという。女性管制官にお礼を言って東京に通信設定《コンタクト》をすると、また二次レーダー応答信号が弱いと言ってきた。加えて残燃料時間と搭乗者数も聞いてきた。しばらく待つように答え、後ろに立っている夏子を振り返った。夏子の白いブラウスには血が跳んだ痕があり、腕の包帯にも血がにじんでいる。

「参ったよ、とんでもなく忙しくて。君しか頼れないんだよ」

「私に、お手伝いできることなんてあるの？」

「通信とチェックリストだけでもやってほしいんだ。それでもずいぶん助かる。その席に座って」

江波は額の汗を拭った左手で機長席を指した。

「でもキャビンに戻らないと」

コンピューターがスタンバイのメッセージを出したまま、先に進まなくなった。

「さっきから飛行情報処理コンピューターがおかしい。このままでは最悪の場合、自動航法装置の大部分が使えなくなる。そうなるとすべてを手動でインプットしなければならない。ともかく通信だけでも手伝ってくれないか。何を言うかはすべて指示するから。浅井さんは無線のライセンスを持っているんだろう？　朝霧機長が言っていたよ。そこに腰掛けて」

「はい」

「いまはこいつを無事に飛ばすことが最重要だ。だから君に助けてもらいたいんだ。ヘッドセットはその横にかけてある」

江波の強い調子を受けて、夏子はこわごわ機長席に座り、ヘッドセットを着けた。

「その椅子《いす》は一番後ろの位置まで下がっている。電動だから好きな位置にして。スイッチは椅子の右側にある。マイクが左下にあるはずだ。ヘッドセットのマイクよりセスナで使い慣れているだろ？　複雑に見えるけど基本は小型機と一緒だから」

「周波数がわからないわ」

「大丈夫。エマージェンシーかけてあるから、ほとんど変える必要はないはずだ。セレクターパネルの左が管制、今は東京コントロールになっている。右が会社専用周波数。切り替えはパネルのこのボタンを押すだけだ。わかった？」

「はい。怖いけど、やってみます。通信はセスナでやっているのと一緒と考えていいかしら」

「コールサインはニッポンインター202《ツーゼロツー》だから」

「そのくらい知ってるわ」

「ただ、癖でさ、セスナ202なんて言うんじゃないかと思ってね。僕も小型機に乗ったとき、つい癖でニッポンインターって言うことがあるもんだから」

「了解。気を付けるわ」

ＥＩＣＡＳ画面とコンピューターの両方から目が離せないまま、夏子が何をぐずぐずしているのかと頭の隅で考えていた。

「ベルトを早く締めて、椅子を戻して」

「はい」

だが問題があった。五点式のベルトは、スカートを穿《は》いていると股下《またした》の部分が締められない。そのうえ足が広がらないと、両足の間の床から出ている操縦桿《かん》が邪魔をして、座席を定位置に戻すことができないのだ。

「いいわ、ちょっと待ってね」

夏子がヘッドセットを外して椅子から立ち上がった。首にかけていたナイフを取り出すと、スカートの前のすそに切れ目を入れ、半分ほど切り裂いた。夏子は向きを変えながら、江波にナイフを差し出した。江波の周りに〝アマゾン〟の香りがふわっと流れた。

「後ろも同じように裂いて。かまわないから。足は切らないでよ」

スカートを裂き終わるとシートに座り直し、五点式ベルトを締めて椅子を定位置に戻した。今度は完全だったが、紺のストッキングに包まれた夏子の足はすべてむき出しになっていた。

「着陸したあと、会社の人が見たら、なに言われるかわからないわ」

「生きていれば、ね」

コンピューターが計算を停止したことを示す注意信号が、航法画面に現れた。オートパイロットが自動的に航法データと切り離され、続いてオートスロットルが外れて、警報が鳴った。

夏子にとって、機体の故障をこれほどはっきりと身近に感じたのは、初めての経験だった。しかも江波がチェックリストも読まず、ただ見ているだけなので新たな不安を覚えた。

「江波さん、急がなくていいの?」

「待ってるんだ。いまは二つあるコンピューターのどちらが故障なのかを、コンピューター同士がチェックしている。その結果を待っているんだ。怖がらないでまかせとけよ」

夏子は顔を上げた江波の目から、〝機長〟の威厳のようなものを初めて感じた。

江波はチェックリストに従って処理した。左の飛行情報処理コンピューターの故障が判明した。先ほどから心配していた通り、この飛行機の持つ頭脳の半分が駄目になったことになる。

「僕がACARSで被害状況を会社に送るから、管制に搭乗人数と残燃料での飛行時間を」そこまで言うと江波はコンピューターで残量を調べ始めた。「二時間一六分と、ワン・エンジン不作動と言ってくれないか」

「了解。乗客一三六名に乗員一四名で一五〇名でいいわね」

「ちょっと待って。おかしい。燃料が少なすぎる。さっき調べた時は二時間四五分あった。あれからまだ一五分しか経《た》っていないのに」

江波は燃料システムをディスプレイに出した。八基の燃料タンクのうち、すでに四基は燃料を使い切って空になっている。故障したエンジンに燃料を供給していたナンバー2・メインタンクは、あれ以降使っていない。したがって今使っているほかの三基のタンクより燃料が多くなければならないはずだ。江波の全身からどっと汗が吹き出してきた。

「大変だ！　燃料が漏れている。どのくらいの量が漏れているのか調べるから、ともかく東京コントロールにリポートだけ頼む」

浅井夏子は緊張して震える手でマイクのボタンを押した。

「東京コントロール、ニッポンインター２０２《ツーゼロツー》、聞こえますか《DO YOU READ ME》？」


所沢の東京航空管制部では、四名の管制官がレーダー画面を取り囲んで、ニッポンインター二〇二便の動向を見守っていた。突然その通信が、女性のおびえたような声に変わった。管制官たちは驚いてＮＩＡ２０２と表示されているターゲットを注視した。

担当の管制官はリップマイクに手を添え、身を乗り出した。

「ニッポンインター２０２、こちら東京コントロール、どうぞ」

《はい、あ……》

通信が途切れた。管制官は少し待ってから、呼びかけた。

「２０２、どうぞ《GO AHEAD》」

返事がない。部屋が凍りつく。もう一度呼びかけた。

「ニッポンインター２０２、聞こえるか」

《２０２。搭乗者数《POB》１５０、燃料時間二時間一六分。困難な状況にあります。急減圧によって両機長ともに操縦不能。繰り返します、機長二名は操縦不能。現在副操縦士

が指揮しています》

それを聞いた主任管制官は、成田直通電話で進入管制室に連絡した。

「例の二〇二便、機長が二人とも倒れているらしい。副操縦士が操縦を担当して、通信は女性が行っている。そちらに管制移管するときには、もう少し詳しい状況がわかっていると思うが、そのパイロット一人で、故障したジャンボを着陸させることができるのかどうか、会社に問い合わせたほうがいいかもしれない」

〈わかりました。すぐに聞いてみましょう。それにしても通信はうまく設定できていますか？　つまりその女性は管制用語と言うか、無線の使い方、わかっていますか？〉

「いま、初めて通信を受けたんで、何とも言えないが、かなり緊張している様子だった。だが無線を扱ったことはありそうだ」

〈わかりました。詳しい状況がわかりましたら、なるべく早く教えて下さい〉

「こちらの計算だとあと四五分ぐらいで、新潟上空にかかるはずだ。新潟方面に向かう出発機は、しばらく北のほうに迂回《うかい》させるようにして、そうだな、いわき無線標識《VOR》へ向けるようにしてくれないだろうか。あとはこちらで引き継ぐから」

〈わかりました。すぐに連絡しましょう〉

「よろしく頼む」

主任管制官は祈るように受話器をそっと置いた。


浅井夏子と東京コントロールとの通信は、山形から富山の間を飛行しているすべての航空機にモニターされていた。その中に空から新潟市の風景の生中継をしている、TVRテレビのチャーター機キング・エアーがあった。新潟港の上空での撮影を終えた直後、非常事態を感じさせる無線が飛び込んできた。

「おい、なんだいまの？」

「なにか大変なことが起こっているんじゃないのか？　すぐにそっちのほうにまわしてくれよ」

リポーターとカメラマンの二人に聞かれ、白髪のパイロットは濃いサングラスの下で困った顔をした。無線は聞こえたものの、位置がわからない。

「どこを飛んでいるのかわからなければ向かえませんよ」

「どこの会社の何便だったかわかるか？」

「確かニッポンインターの二〇二、だったかな」

「そいつはどこから来るんだ？　おい山ちゃん、電話で聞いてみなよ、新潟の系列局にかければすぐわかるだろ」

携帯電話で状況を話すと、事態の確認をしてからすぐに返事するといってきた。しかし返事を待つまでもなく、本社から直接電話が入った。

「はい。わかりました。はい。必ず捕まえます。はい。任せてください。はい。はい。はい」

リポーターの〝山ちゃん〟がおじぎしながら電話を切った。

「ロンドンからの便で、事故が起きたらしい。いま掴《つか》んでいる情報では、新潟上空から成田に入るということだけだ。この辺は飛行が制限されていて、飛んでるのは俺たちだけらしいぞ。電話してきたのは、部長だよ。〝カマ〟の奴《やつ》、かなり熱くなってて、スクープを逃したらクビだって怒鳴っていやがった。すぐにあの便を追ってくれ」

「高度はどのくらいだと言ってました?」

「わからねぇな」

「あちらさんはジェットで、こっちはプロペラ。見えてからじゃあとても追いつけませんよ」

「ともかく、逃したらおまえさんの飛行機は、二度と使ってやれないだろうね」

「待って下さいよ……。さっきの通信では急減圧と言っていたから、かなり低く飛んでいるはずだな。新潟までの航空路の下限が九〇〇〇フィートだから、その高度で来るかもしれませんね。イチかバチかで、航空路を外して、九五〇〇で待ちましょう、そうすりゃ一万で来ても、見えるしね」

言い終わった老パイロットは、迎撃戦闘機Ｆ１０４に乗っていた頃の目の輝きをよみがえらせると、左急旋回とともに両翼のエンジンにフルパワーを入れ、機首を北北東に向け上昇に移った。

緊急事態の第一報が札幌航空管制部経由で入ってきたとき、ニッポン・インターナショナル・エア社では、すでにその非常事態について詳しい情報を得ていた。二〇二便に緊急事態が発生したその瞬間から、ダウンリンクされた整備本部のコンピューターが、すべてのデータをプリントアウトしていたのだ。燃料量は常識外の数値変動が示されていたので、コンピューターの計測ミスか、あるいは計測器の故障と考えられ、当初、関心は払われたが問題にはされなかった。そのため緊急降下は成功し、最悪の事態は乗り切れたと判断していた。その分析と検討結果は、すでに本社にも連絡ずみだ。

しかし、いま東京航空管制部から入った情報によれば、機長が二人とも倒れているとあり、成田はふたたび混乱に陥った。二〇二便がACARSで負傷者の状況を送ってきたということから、高度が低すぎて成田に無線が直接届かないことが予想された。返事はとりあえずACARSで送られた。

【状況了解、『ニッポンインター成田』の周波数を連絡用に開けておく。パイロット、整備、ディスパッチャーの専門チームが待機中。問題が起きたらすぐに質問されたし。安心して飛行されたい】

成田から羽田の乗員室に、そこから査察室に、さらに南糀谷《みなみこうじや》の訓練センターにまで問い合わせが入った。残った副操縦士には、あの機体を着陸させる能力があるのか。江波のこれまでの訓練と試験の成績がコンピューターの画面に呼び出され、誰もが可能な限りその答えを探ろうとした。しかし、誰もがその答えを自信を持っては出せなかった。それは数値的データ以外の機体の詳しい状況が、正確にわからないからだったのだが、原因は江波自身にもあった。

問い合わせを受けた訓練技術課に、所長をはじめB747－400訓練課のリーダー、教官などが次々と集まっていた。

「誰だ、その副操縦士は？」

「江波？　あの江波か」

「あいつか」

「また興奮して判断を間違えなけりゃいいが」

《江波さん、まだ成田と連絡取れませんか？　特殊旅客の衰弱がひどく顔面蒼白《そうはく》で、早く点滴が必要だとリサも言っています》

インターホンで玲衣子から催促された。そういえば重症患者については、すっかり頭から離れていた。未《いま》だに燃料漏れのことだけで頭がいっぱいだった。

高度が低いので、成田と直接無線で話ができるようになるには、まだ距離がありすぎる。キャビンのことはコクピットに持ち込むな、と主張するタヌキの気持ちが少しわかるような気がした。

「現役の看護師さんならどうして点滴がすぐにできないんだ？　病院でいつもやっているんだろ。まさか初めてじゃないよな」

江波もイライラしながら答えた。

玲衣子は彼女たちに聞いているようだった。しばらく間があって返事があった。

《彼女たちはまだ病院に入ったばかりだそうです。そもそも看護師は医師の許可のもとにしか、点滴はできないのだそうです》

「なんだって。点滴が必要だという彼女たちの判断自体は確かなのか」

思わず声が大きくなった。

《脱水症は私が見ても明らかです。すぐ責任者の許可が欲しいんです。この機のいまの責任者は江波さん、あなたでしょう。私も責任を取ります。江波さん、これは緊急事態です。違いますか？》

額から汗が流れた。夏子も隣でじっとこちらを見つめている。

「もし彼女たちの判断が間違っていたらどうするつもりなんだ」

《判断は間違ってないと思います。先ほども失禁と下痢で、ますます水分を失っています。いま、子供用の紙おむつを何枚も重ねて使用しています。そのくらい重症です。まだかすかに意識はあります》

緊迫した様子が伝わってくる。

《リサも点滴の袋を持って……。あとは江波さんの許可だけです》

聞きながら江波は、はっと気づいた。

看護師だけではない、自分もそうだ！　いつも機長の許可のもとにフライトをしているではないか。それがいまはすべての判断を自分がしなければならない立場に立たされている。彼女たちとて同じなのだ。函館ではなく成田へ行くという自分の判断は信じて、彼女たちの判断は信じないのか？　いつからそんな自分勝手な考えの持ち主になったんだ。

「わかった。点滴を始めてくれ」

新庄はなぜか空中に浮き上がっていて、自分を天井から見下ろしていることに気が付いた。俺はギャレイの床に寝かされ、二、三人の女性に手当を受けている。それを天井近くに浮いた俺が眺めている。

こんなバカなことはあり得ないと思いながらも、不思議と楽な気持ちだった。床にいる俺の中に戻るのは苦しい。どちらを選ぶのも自らの意志だった。

《自由とはこのことだよ……》

周りに浮いている誰かが教えてくれた。そいつを捜したが見つからない。くるしい。早く……解毒剤《げどくざい》を打ってくれ。その箱の二段目にあるだろう。天井からのぞいて知っているんだ。早く……してくれ！

おい、点滴液になぜ？　そんなも…入れるのか？　点滴……違う、それじゃない、解毒剤だ！　おい、それは違うだろ。やめろ！　……うあぁ！

冷たい風が吹き始めた。徐々に流されていく。新庄は逆らいながら、床の自分にたどり着こうともがいた。

《下の自分に戻りたいのは本能だよ……》

また浮いている誰かが教えてくれた。

《本能だよ》

燃料漏れはかなりひどく、一基のエンジンが消費する量を上まわっていた。江波は三基のエンジンに、燃料漏れを起こしている第二タンクから供給するように、バルブを切り替えた。コンピューターも燃料計算と実際量が合わないと警告を発してきた。このままだと成田に到着するのさえぎりぎりの計算だ。まもなく燃料タンク間のバランスが崩れたことを示すメッセージが現れるだろう。

江波はＡＣＡＲＳに返事が来ていたのを思い出した。切り取っていた感熱紙を夏子に渡した。

【七九便大阪行きに、座席指定で予約されている乗客はなし】

「私たちの推測は外れたのかしら」

夏子は手短に先ほどの仮説を江波に話したが、江波にとっていまはそれどころではなかった。

「密輸ではないとすると、やっぱり殺人計画ということになるわ」

燃料のアンバランスを示すメッセージが現れ、江波は当然のことのようにそれを消した。江波は燃料系統の画面を出して、夏子に見せた。

「浅井さん。もうわかっていると思うけど、燃料がかなりのスピードで漏れている。このまま続いたとして、それでも成田までは持つ。日本海上空では燃料は絶対に尽きない。君たちを日本海に放り出すようなことはさせないよ」

「ありがとう。江波さんのこと、昔から信用してるから」

夏子の楽天的な言葉に、江波は力をとり戻した。


「二〇二便、緊急事態発生」の連絡を受けた成田空港は、緊急出動態勢が敷かれた。空港消防署ではすべての化学消防車の出動準備が整えられた。万一の事態を想定して、空港周辺から成田市全域に至るまでの病院の空きベッド数が調べられ、救急車と医者が空港から派遣の要請を受けた。また千葉県警から各警察署と交通機動隊のパトカーに、出動に備え待機の指示が出された。

6　それぞれの闘い

燃料漏れは相変わらず続いていたが、他のシステムは電気系統を除き何の変化もなかった。しかし着陸のために、車輪を降ろしたりフラップを操作すると、油圧系統に負荷がかかるため現在とは条件が大きく変わってくる。今後もすべてがうまく作動するという保証は何もない。江波はインターホンで玲衣子を呼んだ。

「点滴の乗客、どう?」

《はい、薬が効いて落ち着きました。ただし油断はできないと看護師さんはおっしゃっています》

「了解。いまは真《ま》っ直《す》ぐ新潟を目指している。そこから高度を降ろして成田に入る。あと三〇分で新潟上空に到達する。燃料漏れの件もあるし、この先も何が起こるかわからない。大事を取って衝撃防止と緊急脱出に備えた準備を頼む。いまから四〇分前後で終えてほしいな」

《了解しました。すぐにアッパーの乗客全員をメインキャビンに移動します。用意が

出来次第、準備にかかります。それと夏子ですけど、用が済んだらこちらによこして下さい》
「彼女には、ここにいてほしいんだ。それから密輸疑惑の件、下からは七九便座席指定での予約客はいないと言ってきたよ」
《夏子がコクピットに残る、と、わかりました。密輸の件も了解。でも警戒は続けるべきよ》
「これから着陸までに犯人が何か行動を起こすかもしれない。ライフベストをいじるような乗客がいたら充分注意して。できるかな？」
《陸上の着陸なので、できると思うわ。またあとで連絡します》

乗客が私を呼んでいる。玲衣子はインターホンを切ろうとして耳から離した。しかし何だか気になって、もう一度耳に当てると江波はまだ話している。
《それからね、エンジンの壊れ具合を見てほしいんだけど。たとえば部品がぶらぶらになっていて、外れそうだとか。パネルが開いているとか。液体が流れているとか。何でもいいんだけど》
「そうね。私は詳しくないし。江波さん、こっちはかおりが倒れて、キャビンでパーサーは淳子一人なの。アッパーの乗客の移動もしなければならないのよ。夏子に頼めないかしら？　彼女ならわかると思うわ」
《君のいるところからも、見えるだろ？》
玲衣子は窓に顔をよせて外を見たが、そこからは翼の先が見えるだけだった。
「L1からでは無理だわ。L2からなら見えると思うけど。L2より後ろの壊れた窓のところは立入禁止にしてるの」
《じゃ、L2から見てくれないかな。そうだ、あの子がいい。コクピットに来た飛行機好きの男の子だ。お母さんの了解を取って、見てもらってくれないか》
「了解。ちょっと待ってね。すぐ呼んでくるわ」

話が終わるのを待っていたように、航法画面を指さして夏子が聞いた。

「江波さん、何かマークが出ました。これは？」

「飛行機がいるんだ。TCAS《ティーキャス》（衝突防止装置）が感知して、教えてくれてるんだよ。あと二、三分で見えてくる、五〇〇フィート上にいる」

「江波さん、私、もうキャビンに戻るわ。玲衣子さんが大変なのよ。重症患者がいるうえに緊急着陸の準備でしょう。パーサーは淳子一人しかいないし、ここにいるよりキャビンのほうが私は役に立つと思うの」

　東京コントロールが呼びかけてきた。

《一一時方向四〇マイル先に飛行物体《トラフィック》あり。低速にて北上中。高度九五〇〇フィート》

　夏子は前方を見ていたが、首を横に振るとマイクを取り上げた。

「視認できず《ネガティブコンタクト》。ありがとう」

　インターホンのチャイムが鳴って、ひどい騒音をバックに子供の興奮した声が聞こえてきた。

《機長さん、山田翔太です。何を見るのか言ってください》

「翔太君、しっかり頼むぞ。まず二番エンジンだ。壊れているようなところ、教えてくれ」

《はい。エンジンはすごくゆっくり回っています。あれ？　スピナーが壊れて半分ぐらいなくなっています。カウルには小さな穴がたくさん開いていて、半分から後ろは真っ黒に焦《こ》げたような色です。大きな穴が一つ、ファンの斜め上に開いていて、でもどこも外れたりしてません。エンジンのかっこうは普通で、壊れているのはスピナーだけです》

「ありがとう。次に周りの翼を見てくれ」

《翼の上は普通です。翼の前のところ、エンジンから内側のところ、傷が三ヶ所あるみたいで、へこんでます》

「よし、思っていたより被害は少ないな。ありがとう。おかげでだいたいの感じがつかめた。席に戻って下さい。きちんとベルトを締めてね」

《あと天井のプラスチックが割れて、穴が開いていて電気も消えてます。窓が一つ完全に飛ばされて、周りの酸素マスクもちぎれてます》

「OK、翔太君どうもありがとう。CAさんに代わってくれるかな」

張り切っている翔太には悪かったが、席に連れてゆくように頼んで通話を終えた。

オールコールのチャイムが鳴った。キャビンで乗客の世話に没頭していた四人のCAは、急いで最寄《もよ》りのインターホンを取り上げた。一言も聞き逃さないようにと受話器を耳にぴったりと当て、指示を待つ。

L1にいる山本玲衣子は、これから着陸までにすることの指示を出した。

「状況は先ほどのキャプテンアナウンスでわかっていると思いますが、繰り返します。与圧装置とエンジンの一つが故障しています。なお燃料が漏れているので火気厳禁を徹底させて下さい。キャプテンは二人とも回復されていらっしゃいません。現在は江波さんがPICとして飛んでいます。PICの要望で、最悪の場合を考えて衝撃防止と緊急脱出の準備をします。いまから三〇分以内でステップ5まで完了します。パーサーの浅井さんはコクピットで江波さんの手伝いをしているので、現在キャビンのCAは私を含めて五人です。各キャビンごとに扱う乗客数を平均化できるよう、乗客の移動をお願いします。なおL2からL3の間の通路左側は、窓が割れているためにブロックしてありますので注意して下さい。成田到着は五時二〇分UTC予定。以上、了解ですか？」

《L2了解しました》

《R2了解しました》

《R4了解しました》

《エコギャレイ了解しました》

次々と短い返事があった。

「それではR2復唱願います」

《R2復唱します。エンジンと与圧装置故障。火気厳禁を徹底すること。機長二名は操縦不能。PICは江波。いまから三〇分でステップ5までを行い、衝撃防止と緊急脱出に備えます。現在キャビンのＣＡは五人、各キャビンは乗客の移動にかかる。Ｌ2からＬ3の間の通路左側はブロックにつき注意。成田到着五時二〇分ＵＴＣ。以上です》

「それでは各セクションはお客様の移動にかかって下さい。ＣＡは五人しか残っていないけれど、お客さんは私たちだけが頼りです。みんなで力を合わせれば絶対乗り切れます。訓練と同じように落ち着いて行動するように。以上です」

四人の了解の返事があったのを確認して、玲衣子はインターホンを切った。

東京コントロールが呼んできた。

《有視界飛行の他機、一〇時方向一〇マイル、画面上の高度九五〇〇フィート、旋回中》

「了解。現在探索中《ルッキングアウト》」

夏子はその方角に目を凝らしていたが、見つけられないようだ。江波もその方角を注視したが、夏子に、見えないと首を振る。

「ネガティブコンタクト」

夏子が東京コントロールに答え、マイクを置いた。九五〇〇フィートで旋回中だって？　何をしているんだろう。夏子も同じように感じているらしい。

「旋回中ですか、きっと私たちを待っているんだわ。新聞社かテレビ局の取材じゃない？」

「もうニュースになっているのかな、こっちはそれどころじゃないのに」

その時旋回中の翼が太陽を反射してキラッと光った。夏子は見逃さなかった。すぐにマイクを取り上げる。

「他機を視認した《トラフイックインサイト》」

江波も機影をつかまえた。

「あの飛行機、ちょっと呼んでみてくれる？　どうせ東京コントロールの周波数を聞いてるはずだから。日本語でやってよ」

「ただ呼べばいいのね？」

夏子が呼びかける。

「日本海上空、九五〇〇で旋回中の小型機へ。こちらニッポンインター二〇二。どうぞ」

応答が返ってくる間に夏子に指示をする。

「応《こた》えてきたら、こちらから近づく。そしてしばらくは針路１６０《ヘディングワンシックスゼロ》で飛ぶから、外から被害状況を見てくれるように言ってくれ。高度もスピードも一定を保つから。それと彼らがどのくらいの速度で飛べるかも聞いてくれないか」

　しばらく間があって、小型機が応えてきた。

《二〇二便さん、こちらＪＡ八八七三、どうぞ》

「八八七三、こちら二〇二。状況はご存じですよね。八八七三のパイロットさんにお願いがあります。あなたにこちらから近づくから、被害状況を教えてほしいの。あなたの右横に付いたら、こちらのパイロットはヘディング１６０で飛ぶから、機体の左側を見ていただきたいんです。高度は九〇〇〇フィート。最高速はどのくらいでしょうか、こちらのパイロットが知りたいそうです」

《了解。速度は二一〇ノットまでだね。無理して二三〇ノットかな。なるべくスピードを落として下さい》

「了解。スタンバイ願います。速度は二三〇（時速四二五キロ）までしか落とせないから、それにするそうです」

　夏の青空の中、二機は静かに接近した。

《……いまちょうど第二エンジンを見ている。スピナーが半分ぐらい吹っ飛んでいるようだ。ほかに外見的には異常なさそうだな。ただ全体が黒く焦げて変色している。

外れているパネル等もないようだ。主翼も特に傷《いた》んでいるようには見えない。どうぞ》

「了解。ありがとう。胴体の下も見てほしいそうなの。できますかしら？」

《できますよ。もう上のほうは見なくていいのか聞いてくれないかね。いったんそっちより高度を下げて、もう一度上昇するとなると、速度が落ちて置いてかれちまうよ》

「了解。それでは尾翼のスタビライザーを見てほしいそうです」

《それも後ろに下がると、もう追いつけないね、どちらかしかできないな》

「では、スタビライザーをお願いしたいそうです」

《了解。けっこう無線の使い方うまいね。お嬢さんも飛行機するのかい？》

「ええ、調布でセスナを始めたばかりです。もう後ろにつかれました？」

《いや、まだだ。そっちの後流に巻かれたら、こっちは一瞬にして吹き飛ばされるからな……。この辺までだな。いま主翼の斜め後方にいる。左スタビライザーの前縁に、何か当たった痕《あと》がある。かなりへこんでいる。外板がめくれるまではいっていないが、けっこうひどくやられている。垂直尾翼は無事らしい。それより燃料が漏れているんじゃないのか？　うっすらと白い煙が出ているんだが》

「少々、お待ちください」

夏子の不安そうな声が電波に乗った。

「現在第二メインタンクの燃料が漏れているんだそうです」

《下から見る限り、主翼というより第二エンジンのパイロン付近からのようだ。速度をつけるために少しずつ高度を下ろしているんだが、遠すぎてはっきりとはわからない。徐々に離されていて追いつけないんだ。燃料が白い煙のようになって見えるよ。燃料漏れはそんなにひどくないようだ。これ以上エンジンまわしていたら、こちらがばらばらになるんで、この辺までしかお供できない》

江波が代わって無線に出た。

「八八七三さんありがとうございました。パイロットの江波順一です。これでなんとか状況がわかりました。助かりました」

老パイロットは濃いサングラスの下の鋭い目を細めた。

「了解。お役に立ててうれしいですよ」

無線は若い女性の声に戻った。

《八八七三さん。本当にありがとうございました。よろしかったらお名前だけでも教

えていただけませんか？》

「調布で鬼の酒井と言えばわかるよ。お嬢さん、お名前は？」

《浅井夏子です》

「二人とも最後まであきらめるなよ！　がんばれよ」

《酒井機長さん、ありがとうございました。調布にお礼に伺います》

「必ずな。待っているぞ」

燃料の白いすじを引きながら離れていく二〇二便を見送りながら、老パイロットの右手は無意識のうちに敬礼の構えをとっていた。

その小型双発機のテレビカメラはしっかりと二〇二便を捉《とら》え、交信もすべて電波に乗った。午後のワイドショーに、突如ニュース速報としてライブで流されたこの映像は、全国の視聴者をテレビの前に釘付《くぎづ》けにした。

＊

窓際《まどぎわ》の一人が「飛行機が来たぞ」とひとこと言ったために、乗客の関心が一気にそちらに移ってしまい、その小型機がいなくなるまで、緊急着陸と衝撃防止姿勢の説明は延期された。

小型機が後方に去ったあと、まだざわめきが残るキャビンに、山本玲衣子の落ち着いた声のアナウンスが流れた。

《皆様、ただいまより緊急着陸時の衝撃防止姿勢のとり方につきまして、ご説明いたします。当機の直面している事態は決して危険なものでないことは、先ほどの機長からのご説明でおわかりのことと思います。安全に関しましては万全の準備をお願いします。We are going to explain about the bracing position……ではベルトを着用して下さい。腰骨の位置でしっかりと締めて下さい。次に外し方を練習して下さい》。はっきりしていて自信に満ちた声だった。

《CAはデモンストレーションの位置について下さい》

四人のCAが各キャビン最前列の椅子《いす》に登って、その背に腰をかけた。手を延ばさなくても天井に届く高さとなる。

《前方の客室乗務員をご覧下さい》

乗客は四人の気迫におされて一斉に注目した。CAたちは玲衣子のアナウンスに合わせ、衝撃防止姿勢のデモを始めた。

緊急事態が起きた場合、乗客に何か責任を与え、気を紛らわせたほうがトラブルが減少する。適度の緊張は乗客の注意力と記憶力を向上させるが、それを超えると指示や説明を記憶できなくなってくる。着陸時間が近づくにつれキャビンの緊張は高まっていく。大切なことはいまのうちに伝えたほうがよい。

《ただいまより、皆様のベルトの締め具合の点検に伺います。皆様ベルトをお締め下さい。Please fasten your seat belts tightly, low over your hips again, …… 業務連絡、CAはサブマリーン、ジャックナイフの危険性に注意して点検して下さい。以上》

ベルトは、腰骨の下のなるべく低い位置にきっちりと締める。ベルト締めが緩くいい加減だと、衝撃によって体がベルトの下を潜《くぐ》るように抜けてしまう。これをサブマリーニングと呼ぶ。内臓にダメージを受けるのはもちろん、ベルトをこすりながら潜るので、体の前面、首、両手、顔、そして女性の場合は乳房にもひどい怪我《けが》を負ってしまう。またベルトの位置が腰骨より高いと、ベルトから上の頭部を含む上半身と、ベルトから下の下半身が前方に投げ出され、ベルトを中心に体が折れ曲がる。その結果、ベルトに締め付けられた内臓に応力が集中し、内臓破裂の危険性が高まる。これをジャックナイフという。

玲衣子は乗客のベルトを点検しながら、ベルトの外し方をもう一度練習したほうがいいと考えた。自動車のシートベルトは一般にボタンを押して外すが、飛行機のベルトは片側の止め金を持ち上げるようになっている。この方式の違いが、事故に遭《あ》った乗客の「シートベルトがなかなか外れなかった」という多くの証言につながっている。

慌《あわ》てた乗客はなかなかベルトを外せない。キャビン状況をチェックしながら、実感した玲衣子は、再びキャビンアナウンスを流した。

《ではもう一度ベルトの外し方を練習してみて下さい。今度はできるだけ早く外して下さい。This time please remove……》

アナウンスのあと、一斉にベルトの外れる金属音が聞こえてきた。次は衝撃防止姿勢をもう一度復習しよう。訓練では一回でよいことになっているが、やはり自分たちの乗客となると万全を期したい。

《次は衝撃防止姿勢を復習します。衝撃防止姿勢をとって下さい。業務連絡、CAは個々のお客様に合ったブレイス・ポジションを指導して下さい。以上》

玲衣子は時計を見た。——残り一分でチェックリストのステップ4までをこなせるだろうか。

インターホンが入った。吉田淳子からだ。かなり興奮している。

《25Fのトラブルパッセンジャーが、衝撃防止姿勢をしないと言ってきかません。ち

ょっと来ていただけませんか、もうどうしようもないんです》

「わかったわ。こっちのチェックが終わったらすぐに行くから、それから二人の妊婦さんの衝撃防止姿勢を、もう一度チェックしてきてちょうだい」

玲衣子が25Fに行くと、トラブルパッセンジャーはいい加減にベルトを締めて、ただじっと下を向いて座っていた。予想した通りだ。

「お客様、何かお気に障《さわ》ることがございましたか？」

「俺はもう死ぬ。助からない。おまえんところの飛行機のおかげで。どうなるんだよ、この先は！」

「申し訳ありません。お客様、痛いですからその手を離していただけませんか」

「一番助かる席はどこだ？　えっ本当のところはどこなんだ？　な、教えてくれ。幾らでも払うから助けてくれ」

「お客様、生き残っていただくためにこそ、衝撃防止姿勢をお願いしたいのです。それも万が一のことを考えまして、お怪我でもされてはと、このような処置を取っております」

「あのな、ただかがむだけで、命が助かるなんて笑わしちゃいかんよ。俺はそんな気休めには乗らんよ。だいたいそれが人にお願いする態度か、え？　マイクでギャーギャーわめき立てやがって」

この乗客はパニックに陥りつつあるのでは、と思った。それもネガティブなパニックに。助かろうという執着が消えてしまい、その場所から動けなくなる。無気力とも無関心とも違うが、口をきいたり悲鳴を上げることさえできなくなるネガティブなパニックだ。

パニックに陥った乗客の五〇パーセント前後が、このネガティブ・パニックになってしまう可能性を、過去の実例や実験結果は示している。極度の恐怖に襲われ、逃げ出す方法すら見いだせないとき、人はネガティブ・パニックに陥りやすい。米国におけるレイプにあった女性の聞き取り調査でも、やはり半数近くがネガティブ・パニックに陥ったとみられる証言をしているという。

状況をよく理解していて、先が見えていれば、恐怖感が和らぐ。何か責任を持った人間はパニックになりにくい。訓練生時代に習ったことが次々と玲衣子の頭の中によみがえってきた。

「お客様、衝撃防止姿勢を取っていらっしゃったお客様はご無事で、それをなさらなかったお客様は助からなかった、という事例はいくらでもありますわ。こんなこともあったそうです。着陸間際に気分が悪くなったご乗客がいらっしゃいました。その方は吐袋にもどそうと思ってかがみ込んだのです。ちょうどその時着陸に失敗して機体が滑走路の手前にたたきつけられました。周りのお客様は亡《な》くなられましたが、その方だけは軽傷ですみました。かがみ込んだ姿勢が衝撃防止姿勢に近かったためだろうと、分析されています。お言葉を返すようですが、緊急事態に入りましたために、私たちは機長の指示を伝えているのです。お願いしますという言葉を使ってはいますが、私たちは安全のための指示を皆様に与えているのです。どうぞ衝撃防止姿勢をお取り下さい」

玲衣子は乗客の手を取ってベルトを正しく締めさせた。衝撃防止姿勢をとらせるとき、その乗客の背中が震えていることに気が付いた。

この乗客に何か任務を与えよう。

玲衣子は戻ってきた淳子に合図してそこを離れた。

コクピットの浅井夏子は、アナウンスをイヤホーンを通して聞くと、いたたまれなくなった様子でシートベルトを外した。

「江波さん、私キャビンに戻ります。ここにいてもたいして役に立ちません」

「ちょっと待って」

江波は立ち上がろうとする夏子の肩を慌てて押さえた。忙しくなるのはこれからなのだ。

「ぼくだって保安要員の君をここに引き留めたくないさ。でもほかに誰が替われるんだ」

「重症患者が出て、きっと玲衣子さんは必死よ。キャビンで動けるＣＡは、玲衣子さんを含めてもたった五人よ。しかもパーサーは淳子しかいないし、あとは四月に配属になったばかりの新米の娘《こ》だけだわ。いまからステップ１《ワン》でしょう？　急いで戻らないと間に合わないわ」

「ステップ１ってなに？」

江波は非常時に、キャビンで何が行われるのかをほとんど知らなかった。緊急着陸用のデモが行われることくらいは知っていたが、正式に訓練を受けたことはない。

ニッポン・インターナショナル・エア社では緊急訓練を年一回、一日かけて行っているが、ＣＡとの合同訓練は三時間、それも脱出用のシュートを一緒に滑ることくらいしか印象に残っていない。それでも客室部にとっては最大の譲歩だったという。同じ教室でのディスカッションはもとより、パイロットとＣＡが机を並べることすらそれまでは考えられないことだったのである。

緊急事態の打ち合わせのたびに「規程通り」という言葉が飛び交う理由が、江波にはわかった。たぶん機長も緊急時にCAがどのように動くのかほとんど知らない。だから規程通りとしか言いようがなかったのだろう。

夏子にキャビンでこれから何が行われるかを、説明してもらわなければならなかった。ステップとは緊急脱出に備えての機内準備で、残された時間によって、あるいは状況から判断して、どの段階までの準備をするかが決めてある。江波はそれを聞きながら、乗客の中に航空関係者がいないかを、成田に再度調べてくれるようACARSで連絡した。

《ベルトの締め方と衝撃防止姿勢については、このあとご自分で練習をして下さい。次に非常口の場所をご説明いたします。ただいまより客室乗務員が非常口を示します。まず一番近い非常口を覚えて下さい。次に後ろを振り返って下さい。後方の一番近い非常口も確認して下さい。非常口は通路をはさんで反対側にもあります。四ヶ所の非常口を覚えてください。もし皆様が最初に向かわれた非常口が使用できないときは、いま覚えられた非常口に進んで下さい》

山本玲衣子と四人のCAは、各非常口に立ってフラッシュライトを点灯し、場所を印象づけた。次に各非常口近くの乗客四人を選んで、非常口の開け方、スライドの膨らませ方などを説明し、もしそのドアの近くにCAがいないか、CAが動けないような状態になった場合にも、ドアだけは開けられるよう準備をした。メインキャビンの非常口は一〇ヶ所ある。すべての非常口にCAがつくことはできない。玲衣子は25Fのトラブルパッセンジャーを、非常口の援助者の一人に組み入れた。

問題は着衣だ。初夏のために乗客は皆薄着で、特に女性客は肌の露出部分が多かった。生存可能事故の二〇パーセントに火災が発生していることから考えても、肌の隠れた厚着のほうがいい。また薄いナイロンなどの化学繊維製品を肌に付けていると、火災の輻射《ふくしゃ》熱だけで溶け、皮膚を灼《や》きながら溶け込んでしまう。その悲惨な記録写真を一度見たら決して忘れることはできないものだ。特に女性のナイロンストッキングは、脱出時のスライドを滑る摩擦熱だけで溶けることとすらある。

脱出までにストッキングを脱ぐ時間がなく、スカートの下に機内食のメニューを入れてスライドを滑ったり、燃える機内で必死になってストッキングを脱いだりしたという外国のCAなど、それにまつわる話を聞いたことがある。もちろん化学繊維ででいきたブラウスも脱いでもらっていたほうがいい。しかし女性に、その場でストッキングや下着を脱ぐようには言いにくい。

トイレを使うとしたら——。

玲衣子は素早く計算した。女性客は五八人、その中でストッキングかブラウスを脱ぐ必要のある乗客は、見たところたぶん四〇人前後のはずだ。メインキャビンにはトイレが一二個あるから一つあたり三・三人、一人二分としても六分半。いや、女性がいったんトイレに入ったら実際には一人三分はかかるだろう。そうなると一〇分か。そこまでの時間はない。そうだ。ギャレイも更衣室として使えるはずだ。三ヶ所増えるから、二五パーセント早くなる。そのうえギャレイなら一度に三人は使える。説明が終わったら、すぐに脱いでもらおう。

ロンドンからの便なので、真夏でもセーターなどを土産として持っているのではないかと考えた玲衣子は、それを上から着るように乗客にアナウンスをした。

予想はあたり、日本人乗客の半分以上が袋やバッグから取り出し始めた。ウールやカシミアは耐火性の高い素材の一つなのだ。上着を持っていないノースリーブの乗客やTシャツの子供には、CAが機内で着る紺色のセーターを渡した。

最後に化学繊維のブラウスやストッキングの危険性を説明し、トイレとギャレイを使い、脱ぐように指示する。

アナウンスを終えた玲衣子は通路に出て、乗客の世話に忙殺されているCAたちに加わった。

テレビ中継は二〇二便の被害状況を詳しく映してくれた。ニッポンインター社が、それをもとに対策を立てるのに役立った。スタビライザーの損傷は二ヶ所で、一部外板にしわが寄っているのが確認された。機上コンピューターからのダウンリンクだけでは、わからない損傷であった。

これまでは計測ミスとして処理していた燃料漏れが、新たな問題として浮上してきた。映像で見る限り、ナンバー2・メインタンクから流出しているようだ。計測値が正しいとすると、まもなくそのタンクは空になり、着陸時の燃料漏れによる引火の可能性が減少する。現在の燃料で成田までもつか。それが最大の問題だ。成田のディスパッチルームは再度コンピューターに計算させていた。カンパニーラジオで二〇二便を呼び出し、こちらの推測値を知らせることになった。

「二〇二便、こちらニッポンインター成田、感明いかが」

《二〇二です、どうぞ》

女性の声だった。

「先ほどのACARSでの問い合わせの件ですが、こちらのリストによりますと航空関係者は一名だけです。それも航空関係者と呼べるかどうかわかりませんが、57のA席にイノウエ・トシオさんという航空大学校の学生さんが乗っていらっしゃるはずです。学生なので関係者リストには上がっていませんでした。繰り返します57のA、イノウエ・トシオ、航大の学生です。それでよろしいでしょうか」
《ありがとうございました。助かります》
「了解。こちらの分析では、スタビライザーの損傷は激しいようです。あまり加重をかけると、外板が吹き飛ぶ可能性があります。加重を少なくするのと燃料を節約するため、フラップはなるべく浅いほうがいいでしょう。燃料の残《ざん》をチェックして下さい。どうぞ」
《了解。ちょっと待って下さい》
声は江波に代わった。
《成田、こちら二〇二。どうぞ》
「こちら成田です。燃料の残はどのくらいでしょうか。状況はそちらでもわかっていると思いますので、はっきり申し上げます。こちらの計算ではそのまま成田まで行かれますと、最悪の場合、燃料切れを起こします。一番近い着陸可能な飛行場は新潟です。新潟に直行して下さい。どうぞ」

《ネガティブです。先ほど新潟の天候をチェックしましたが、南風が強く条件がよくないことと、自分は新潟に降りた経験がないからです。滑走路も短いですし。こちらの燃料計算では成田までもつはずです。どうぞ》

「確かに新潟は横風が強くあまり条件はよくありませんが。つぎに近いのが茨城県の自衛隊百里《ひゃくり》基地です。そちらも考慮願います。ただし上空に積乱雲が発達中です。それを迂回《うかい》してから着陸するとなると、成田のほうが近いかと思います。それではその場所から成田のランウエイ16《ワンシックス》に直行して下さい。どうぞ」

《了解。残燃料は一万三〇〇〇ポンド、コンピューターは燃料漏れを計算できずに混乱しています。そのため燃料量不足のメッセージが出ました。しかし私の計算では、燃料がなくなる一五分前には成田に着陸できるかと思います。先ほどまでリーク（漏洩）しているナンバー2・メインタンクを使っていましたが、まもなくこのタンクは空になると思います。すでに新潟手前から成田に直行しています》

「了解しました。なお火災が発生しなかった場合は負傷者搬出のため、L1またはL2ドアにタラップをつけます。以上です」

ディスパッチャーはマイクを置いて、黙ったまま振り返った。取り囲んでいる同僚たちも誰一人として口を開こうとしない。みな同じことを考えている。

機長の意見、判断は最優先される。しかし、こちらの計算では燃料にそんな余裕はないのだ。

会社との通信を終えた二〇二便のコクピットでも、二人はおし黙ったままだった。夏子はチーフパーサーに航空大学校の学生が乗っていることを伝えようと、L1ポジションを呼び出したが、イヤホーンからは呼び出し音が鳴るだけで返答はなかった。キャビンは多忙を極めているのだろう。あきらめてスイッチを切った。

江波はじっと考えていた。トラブルに気付いた時点で札幌に向かわなかったのは失敗だった。そのことに疑いの余地はなかった。いまからではどの空港に向かうことも不可能なのではないか？　あのとき、なぜすぐに決心しなかったのだろうか。自衛隊の訓練空域を横切る許可をもらうことや、コンピューターへのデータ打ち込みなど今考えれば二、三分でできることだ。新千歳空港なら消防施設も、救護施設もすべてそろっている。たった二、三分を、億劫《おっくう》だと考えたため、すべての計算が狂ったのだ。自分の判断の間違いが、全員の命を危険にさらしている。

ふだん見せたこともない江波の表情に、夏子は自分を囲む危険を肌で感じた。そんなことは初めての経験だった。事故を報じる翌日の朝刊の第一面がはっきりと頭に浮かんだ。事態の深刻さから逃げるように夏子は窓の外に目を向けた。梅雨の夏空に大きく発達した積乱雲の間から、遠く霞《かすみ》ヶ浦《うら》の水面が光っているのが見えた。

＊

《ニッポンインター二〇二、こちらニッポンインター成田、感明いかが？》
「良好です、どうぞ」夏子が答えた。
《少々お待ち下さい。旅客サービスからの連絡で、担当者に代わります》
通話が途切れ、咳《せき》払いが三回ほど響いたあと、いかにも不機嫌そうな声が流れてきた。
《エー、私、成田空港支店総務部管理第一課、ＳＴＭアシスタントのカワグチと申します。先ほどカウンターに来られたお客様で、二〇二便からコネクションの七九便に座席指定で申し込まれたお客様がいらっしゃいます。エー、この件、いまお伝えすべきなんでしょうか？》
「はい、お願いします」
《私の名前はカワグチと申します。三本川に口で川口です。エー、カウンターの女子職員からの、この職員は派遣会社からのアルバイトの女子職員でして、確か赤岡とかいいましたか、ＳＰＬということで忙しい最中に報告を上げてきました。その報告がこちらのＳＣに届きまして、ＦＣＣの佐々木課長様からのご要請ということで、ＭＴＧの途中だったのですが、こちらの現場に来ております。そのお客様はエー、山名様とおっしゃるのですが、自動車に乗っておられたとかで、テレビも見ていらっしゃらずに二〇二便の状況をまったくご存じなくて、七九便はそんなわけでタイプチェンジになり、使用機材がボーイング７６７になったこともあって、お客様のご希望の座席番号はＢ７４７のものなので、別の席ではどうでしょうかと、まあ状況を一応ご説明申し上げたところ、急いで立ち去られたとのことなのです。カウンターにはエー、大阪まで仕事で急いで行かれると話しておられたのに、タイプチェンジで取りやめられるのは不自然だということでですねぇ、このリポートとなった次第なんです。切符を購入されてから取りやめになさるお客様も中にはいらっしゃるわけで、私の経験ではこれが特に不審とは思われませんがね……。何がお知りになりたいのですか？》

「その方が申し込んだ座席番号を教えて下さい。現在、その座席に座っている乗客が密輸に関わっていると思われます。先ほど『密輸の疑いあり』とご連絡申し上げたはずですが。その乗客に騒ぎを起こされたら大変なことになります。こちらは時間がないんです」
《座席番号ですか？　エー、それは先ほども申し上げましたようにタイプチェンジでB6に変更されたわけでして、山名様はすでにキャンセルされていらっしゃいます。たとえわかりましても、二〇二便でその席にどなたが乗られているかは、つまり乗客名簿は到着までは発表できませんし、私にその権限はありません。先ほどから伺っておりますと、山名様に何やらご迷惑がかかりそうなことのように思えます。カウンターまでわざわざおいで下さったお客様にですね、もしご迷惑がかかりますと取り返しがつきません。失礼があってはいけませんので、ここは私の権限で控えさせていただきます。それほど座席番号とかお名前が必要ならばですよ、山名様のお知り合いの方という具合に、機内呼び出しでですね、確認されることぐらい、なぜできないんですか？》
「それが、できない状況なんです。乗客名簿は機内にもあります。一般に公開するわけじゃないんですから、別に秘密でもなんでもないでしょう！　座席番号だけ、教えて下さい」
《どうしても必要と言われましても、非常事態にある便の乗客名簿を事前に発表することは、上司の許可を得なければ出来ません。しかしですよ、予約あるいは乗客に関しましてはうちの管轄《かんかつ》でして、エー、乗員部、いや乗員室でしたか、皆様方にはまったく関係のないことと承知しておるのですが。何しろ私はこのような現場に引っぱり出されてですね、大変迷惑しております。先ほどのテレビ中継のあと、メディアや御家族など、様々な問い合わせが殺到いたしまして、わが社は大変に困っております。事態を穏便に抑えようと、私も、本社も総力を挙げてマスコミ対策に当たっているというのにですよ、あなた方はいったい何を考えていらっしゃるのですか。故障しているわが社の飛行機をですよ、テレビに映させるなど、言語道断。今後一切していただきたくないということもですね、社員の常識として、ご承知いただきたいと思います。まー、このような状態では、精神的に高ぶっていらっしゃるのは重々理解いたしておりますが、老婆心《ろうばしん》ながらご忠告申し上げますが、あのような行為はですね、英雄気取りと、社内では取る人が多いと思いますよ。あなたも慎重に行動なさらないと、個人的責任にまで発展するんじゃないでしょうか。エー、もちろんこの件に関して、正式書類にて状況をお届けいたしますが、疑問点などございましたらそのときには私の名前を使っていただいてもけっこうです。私は川口、よろしいですか、カ・ワ・グ・チと申します。川口の名を出されたほうが通りがよいと思います》

ピーンという呼び出し音が鳴った。液晶表示盤がエコノミークラスのギャレイからであることを示している。特殊旅客の容態がさらに悪化したのか。いやな予感がした。急いでスイッチをインターホンに切り替えると、玲衣子の緊迫した声が飛び込んできた。
《江波さん、山本です。特殊旅客の方、腹痛を訴えられていたのですが、いま意識消失されました。眼球上転で、心停止状態です。いま看護師さんが心マッサージを開始しました。なお血圧は四〇以下に落ちています。あとどのくらいで着陸できますか》
「あと二五分、いや二〇分。そのくらいだ。それまでもつか？」
少し間が空いて返事が戻ってきた。
《看護師さんもリサも自信がないと言っています》
「なんとかがんばれないか。できる限り早くといっても、これ以上早くは無理だ」
《ともかく一刻を争います》
「了解。容態が変わったらすぐに知らせてくれ。成田と直接話せる距離になったから。それから、航空関係者が一人いることがわかった。57のAイノウエ・トシオ、航空大学の学生だ。すぐに探してくれないか。彼に来てもらえれば浅井さんをキャビンに戻せる」
《57のAイノウエ・トシオ、了解しました》

江波はスイッチを無線に切り替えた。
《……との判断で、これはあなた方が、最悪の状況になさったことは明らかでして》
話はまだ続いていた。無線通話では電話のように双方同時に話すことができない。重症者の件を知らせたくても相手の話が終わるまで待つほかはない。じりじりしながら喋《しゃべ》り終わるのを待った。
《特に、あのー、密輸とかなんとか言われている件はです。事実が確定していない以上ですね、素人《しろうと》の推理で騒ぎ立てられると、わが社としては大変困るんですよ。ですから、現在わが社の置かれております現状と、わが社のイメージダウンをお考え下されば、先ほど申しましたように当然個人の責任問題にということもありまして、言動等にも充分慎重になられますことを強くお勧めいたします》
川口の演説がやっと途切れて咳払いが三回入ったが、まだマイクのボタンは押したままで、こちらから送信することはできない。書類を広げたのだろう、がさがさという音が耳元に流れた。
《ああ、それから、ロンドンにもＦＡＸされましたが、25Ｆには高崎様という気難しいお客様がいらっしゃいます。決して間違いのないようにお願いいたします。この際ですから言わせていただきますが、そちらでの失敗の後始末は、いつもこちらが処理

する羽目になります。くれぐれも言動にはお気をつけ願います。よろしいですね。ではこれで失礼します》

江波はすぐに送信スイッチを押した。

「こちらに重症者が発生している。現在心停止状態。看護師二名が心マッサージを行っている。早急に医者の助言が欲しいが可能かどうか。どうぞ」

《了解》

正規のディスパッチャーが、無線を使い慣れた声で応《こた》えてきた。

《早急に手配します。医療関係者はすべて救護班として滑走路わきに出動中。そちらへ問い合わせます。時間がかかるがよろしいか。どうぞ》

「間に合わなければ、到着後、すぐに手当を頼む」

《了解。すでに化学消防車五台と救急車数台に医療チームが、そちらの到着に備えて滑走路わきで待機中。どうぞ》

江波と夏子は思わず息を飲んだ。

「了解」

化学消防車五台と救急車数台に医療チーム！

重症者一名の命を危惧《きぐ》しているのではない。自分も含めて搭乗者全員の命が危ないと地上では認識しているのだ。江波は沈んだコクピットの空気を変える努力をした。

「捨てたもんじゃないよ。運び屋は成田で交代することがわかったじゃないか」

先ほどまでの重大な危険要素が、いまでは気を紛らわすための話題に変わっていた。夏子もそれに乗ってくれた。

「そうね、やはり密輸が行われつつあるということは間違いないわね。いまの話だと成田からは一人のようね」

「機上の犯人がどう出るか。このうえ何か起こされたら、たまらないよ」

「江波さん、山本さんにさっきの救急車の件を知らせておきましょうよ。たぶん心配しているから」

夏子にとっても密輸のことは、もはやどうでもよくなっていたのだ。


燃料漏れを起こしていたナンバー2・メインタンクが空になった。江波は燃料系統図をEICASの画面に出した。ナンバー2・メインタンク以外は正常だ。次に油圧系統図を出した。四系統のシステム圧は正常値を示している。次にタイヤを調べてみる。一八個の空気圧は正常で、パンクしたタイヤはない。高圧空気システムも異常なし。電気系統は先ほどと変わっていない。発電機は二台のみだが、正常に作動している。二番エンジン関連と与圧装置を除いて特に問題はない。

ＦＭＳ（飛行制御装置）のコンピューターが一台壊れている。警告メッセージの表示にエラーが多すぎるが、その原因がまだ解明できていない。あれだけの爆発を伴った事故だから、破片がどこかシステムにダメージを与えていてもおかしくはない。もしかすると、電子機器室の損傷が予想以上にひどいのかもしれない。

システムについて検討すると同時に、着陸進入の計画も立てなければならなかった。どこでスピードを減らして、いつフラップを降ろすのか。その時の高度はいくつがいいのか。いつもなら簡単にできる計算が手につかない。エンジンが一基故障している場合、進入時のパワー・セットは、どうするんだっけ？　あせればあせるほど考えがまとまらない。神経細胞を激しく発火させた江波の頭脳は能力の限界を超えつつあった。

成田の空港消防署の化学消防車は、一斉に赤いライトを点滅させ、サイレンを鳴らしながら指令車の指示に従って、定位置に向かって動き始めた。長さ四キロの滑走路である。滑走路のどこに機体が止まるかを予測して、配置しなければならない。そのうちの一台は、機体が空港までたどり着けなかった場合を想定して、赤いライトは点《つ》けずに、滑走路手前の一般道路に向かった。

駆けつけたTV中継車にも同じような悩みがあった。カメラ位置をどこにするかで各局のカメラマンがもめていた。とりあえず各社のカメラのうち一台は、第一ターミナルの屋上に置かれた。空港は瞬《また》く間に赤色灯の点滅する車で埋めつくされた。


「江波さん！　朝霧キャプテンの意識が戻られました」

玲衣子が顔を出すなり大きな声で報告してくれた。

「よかった」

混乱から立ち直った江波は、大きく息を吸ってふーっと吐き出した。

「それでキャプテン、話はできそうかな？」

「大丈夫だと思うわ。でもひどい頭痛と目眩《めまい》だそうです」

「それならエンジンが爆発した件を説明して、現在は飛ぶことに関しては問題はないと伝えてくれないか。あと二〇分弱で着陸する。ただし燃料が少ないので、絶対にやり直しはできない。一つだけ聞きたいことがある」

江波の口から次々と言葉が飛び出した。玲衣子がそれを手でさえぎった。

「わかったわ。ちょっと待ってね」

玲衣子はクルーバンクに入っていった。しばらくすると、インターホンのチャイムが鳴った。

《江波さん？　いま朝霧キャプテンに替わります。……江波君か、朝霧だ》

「キャプテン、ご体調はいかがですか？」

《いや、頭と体のあちこちの関節が痛くて、それと目眩もあるんだ。大変申し訳ないが、とても操縦は無理だ。状況は聞いたよ。よくやっているな。たいしたもんだ。機体システム的には問題ないそうだが、なんでそんなに燃料がないんだ？》

言い終わると、苦しそうに大きく呼吸をする音が聞こえてきた。

「爆発の破片が、タンクかパイプを破ったのだろうと思います。ナンバー2・メインがすでに空です。与圧空調装置《PAC》のワン・ツーともにやられています。スリーはテンプ・コントロールが効きません。キャビンに熱風が入るのでPACを切っています。もしシステムに隠れたダメージが考えられるとしたら、油圧系統でしょうか。アドバイスをお願いできませんか？」

機長に状況を聞いてもらって、江波はやっと落ち着くことができた。

《たぶんそうだろう。フラップやランディング・ギアを操作すると、ハイドロ系統に圧力の変化が起きるからな》

言葉の合間をハーハーと荒い息づかいが埋める。
《三〇〇〇ポンドの圧力がかかることで、そうだな……、何か損傷があればその時に出てくるかもしれない》
「ハイドロ系統にトラブルが発生し、電動でフラップを下げるとすると、何倍も時間がかかりますよね。ただそれを確かめるだけの燃料がないんです。成田までぎりぎりの燃料しかありません」
《どうするつもりだ?》
「フラップが下りないとか、車輪が出ないとか、不具合が着陸直前にわかったのでは遅すぎます。ですから、フラップを少し下げてみたいんです。もしハイドロが駄目になれば、そこから電動に切り替えても間に合う時点で、試したいと思います」
《何マイルで開始すればいいかということだな。早く始めすぎると抵抗が増えて燃料を食うので成田にたどり着けない。遅すぎると間に合わないか》
また苦しそうに息をしている。
「朝霧キャプテンなら、いつその操作に入られますか?」
たぶん酸素を吸っているのだろう、シューという音がかすかに聞こえてから、言葉があった。

《アウターマーカー（計器着陸装置外側無線標識）から三〇マイルが、たぶんぎりぎりだろう。間に合わなくても、最終フラップだけだから、そのまま降りてもほとんど支障はない。できるか？》

「わかりました。それでやってみます。ありがとうございました」

《頼んだぞ》

すっきりした。これで迷いがなくなった。ノックが聞こえ、玲衣子が戻ってきた。江波の表情が明るくなっているのを見て、玲衣子も少し肩の力が抜けたようだった。

「よかったわ。朝霧キャプテン、安心なさったようです。——先ほどの学生さんの件ですけれど、緊急事態のために乗客を移動したあとだったので、まだ見つかっていません。呼び出してはいるんですけど。倒れられているのかもしれません」

「そうか、ありがとう。例の患者さんの様子はどう？」

「危険な状態が続いています。看護師さんたちがつきっきりで看《み》てくれているので助かります。でもいっこうに容態が安定しないんです。山崎リサのほうがあの二人より経験があるようで、判断が遅いって、やきもきしています。何かあったらここに連絡するように言ってありますから」

「乗客は落ち着いている？」

「皆様とても協力的です。あのトラブルパッセンジャーも嘘《うそ》のように素直になられてます」

前方を見ていた夏子が振り返って玲衣子を見た。

「玲衣子さん。さっきの話ですけれど、やはり密輸らしいわ。成田からの連絡で、接続の七九便に座席指定で予約を取ろうとした人が一人いることがわかったの。運び屋は成田で交代する予定だったみたいよ」

心理的に追いつめられている犯人に、ここで何か起こされたら、ようやく静かになったキャビンは大混乱になるだろう。

「名前はわからないの？」

「男か女か、それすらもわからないんだ。全CAに知らせて充分注意してほしいな」

「そこまで余裕がないかもしれないわ。客室のほうはステップ4まで完了、現在動けるCAは夏子を除いて五名。各非常口に一人の配置はとても無理だけど、援助者を割り当てて一応なんとかこなせると思うわ」

「キャビンで動けるCAはたったの五人か」

「ええ、まだ夏子は返してもらえないでしょう？」

「その学生さえ見つかれば、交代できるけどね。とにかく、あと一五分で着陸だ。天候は晴れ気温三二度。まだフラップや車輪を操作していないので、どんな着陸になるかはわからない。通常のランディングができるとは思うけど、衝撃防止姿勢の指示を頼む。そのステップ4とやらには衝撃防止姿勢も入ってるのか？」

「ええ、そのためのステップよ。それより『着陸二分前』と『衝撃防止姿勢をとれ』のアナウンスを入れるんでしょう？」

「ああ、僕たちの訓練でもそれは入れることに決まっている」

「了解。緊急脱出《エバック》はしますか？」

「たぶん、必要ないとは思うけどね。しかしあらゆる可能性が考えられるから準備だけはしておいてほしいな。その時は緊急脱出信号《エバックシグナル》を送るよ。シグナルがなくても、玲衣子さんが判断してエバックの必要があると思ったら、躊躇《ちゅうちょ》せずに脱出指示を出してくれ。危険な状況でも指示が来ないときは、僕が倒れたときだと思って君がすべての指揮をとってくれ」

「はい」

「そんな悲しいこと言わないでよ」

機長席に座っている夏子が、こちらを向いて口を挟んだ。江波はボタンが取れた夏子のブラウスに、いやブラウスの内側に目がいってしまった。慌《あわ》てて目をそらせたが、後ろに立っている玲衣子はすぐにそれに気づいたようだった。

「夏子、怪我《けが》をしないように上に何かはおって。肌はなるべく出さないほうがいいんじゃない？」

上着は、と言いかけた玲衣子が口ごもり、江波に説明する口調になった。

「夏子ごめん、夏子の上着をお客様に貸してしまったわ。お客様の中で、ノースリーブやTシャツの方が何人かいらっしゃって、その方に着る物をお貸ししたんです」

「江波さん、無事に降ろしてくれたら、たっぷり見せてあげるから、いまはしっかりやってよ」

夏子も視線を感じていたのだろう、歌うように言いながら江波にちらっとウインクをした。

「まあ、夏子ったら」

インターホンがいやな音をたてた。

《L4山崎リサです。41Jの方、良くありません。下肢冷状態で、チアノーゼが始まっています。嘔吐《おうと》が続いていて、酸素マスクを着けていられません。生命維持が危険な状態にあります。どのくらいで降りられますか？》

「あと一五分ぐらいだ。ちょっと待って、チーフパーサーにそっちに行ってもらう」

玲衣子が急いで出ていった。操縦席の二人はじっと黙ったままになった。

《二〇二便、こちら東京コントロール。成田進入管制と交信せよ。周波数一二五・八メガヘルツ、幸運を祈っている》

「ご協力、ありがとう」

夏子は答えて周波数を切り替える。重い雰囲気に包まれたままのコクピットに、着陸の時が近づいてきた。

キャビンの玲衣子からインターホンが入った。

《江波さん。点滴を続ける必要があり、下肢マッサージも続けないといけないと言っています。点滴は誰かが袋を支えていなければなりません。山崎リサと二名のナースのほうはその位置から動けないんです。病人も着陸時にシートに着いてベルトを締めることができません。このままの人員配置で着陸を待ってもかまいませんか？》

玲衣子らしくない慌てぶりだ。

「何言ってるんだ。山崎リサは保安要員だろう。このうえまた一名ポジションから外れるのか。一人の乗客のために、他の乗客の脱出に不都合が出るのは絶対に困る。着陸時には、全員に衝撃防止姿勢を取ってもらいたいんだよ」

《でもいま点滴と酸素を止めたら、たぶんもたないわ》

「繰り返す。一人のために他の多数の乗客を危険にさらすことはできない。点滴の袋は壁にテープで固定できないのか？　それから酸素は着陸時には絶対に使用しないでくれ。危ないから」
《わかりました。では二分前ではどうかしら。『着陸二分前』のアナウンスを聞いたら、ナースたちをすぐに席に着かせます。リサは酸素を止めてボトルをカートに収納したあと、一番近い脱出口で任務につかせます。患者さんは衝撃防止姿勢をとれるような状態ではないから、ギャレイの壁際《かべぎわ》に固定しておくようにします》
「それで頼むよ」
やっとチーフパーサーらしい解決策を見つけてくれた。ベルトを外して立ち上がりかけた夏子を片手で席に促しながら、思わずため息が漏れた。

成田のディスパッチルームに、二〇二便の無線が入ってきた。全員に聞こえるようただちにスピーカーに切り替えられ、浅井夏子の強《こわ》ばった声が部屋に流れた。
《現在三四マイル地点、真《ま》っ直《す》ぐに滑走路ワン・シックスに向かっています。燃料は先ほどより減りまして、到着後二三〇〇ポンド、約九分間分残るそうです。最終のチェックを終わりました。これから着陸進入に入ります。いまからフラップを降ろして

様子を見ます。どうぞ》
「ニッポンインター成田。了解。整備がそのまま続けて様子を知らせてほしいそうです」
《了解。送信はこのまま送り続けます》
江波の声でフラップス・ワンと言ったのがバックで聞こえた。全員が聞き耳をたてて無線の音に集中した。
《いまフラップが降りています。まだ完全にワンのポジションにはなっていません。まもなくです。……OKです》
夏子が状況を知らせてくる。マイクから離れた位置で《フラップス・ファイヴ》と言う江波の声が聞こえた。江波は自分で言いながら操作をしているらしい。ワーニングの音が入らなければ、ハイドロは無事だ。ディスパッチルームの全員は、物音一つ立てずにスピーカーから流れる音に集中した。
《ワンはグリーンになったそうです。いまファイヴに降り始めています》
《ピ、ピ、ピ、ピ》と高く短い警報音があってから、《ハイドロプレッシャー・システム・ワン》と言う江波の声が聞こえ、《レフトコマンド・プッシュ》と続いた。夏子が《江波さん、大丈夫?》と聞いている。《ああ大丈夫だ》と江波が答えて、そこで無線が途切れた。

息が詰まったような、無音状態が部屋に広がった。やっぱり駄目か。誰かのつぶやきの声がもれた。しばらく待ってからディスパッチの呼びかけが入った。

「二〇二便、感明いかがですか」

《良好です。一番油圧システムがアウトになりました。これから、浅井さんにもいろいろやってもらうことがあるので、通信を切ります。チェックリストもやりますので。終わり次第連絡します》

江波がたたみかけるように告げ、再び無線が切れた。ディスパッチルームはまた静かになった。隣の部屋で電話に向かってしゃべっている声が流れてきた。

「はい、現在キャビンで動けるCAは五名との連絡が入っています。統計上の最悪のシナリオでいきますと、それが生存可能事故としても、生き残ったCAの四五パーセントは負傷、あるいは意識不明で救助活動はできなくなると思われます。そうなるといま活躍している五人全員が生き残ったとしても、動けるものは三人、いや全員が生き残る可能性は少ないと思わなくてはならないでしょう。最終的に機内で救助活動ができるのは一人か、多くて二人ですか。その彼女らに生存者全員の生命をゆだねることになります」

《最終進入四マイルまで一六〇ノット（二九六キロ）を維持せよ》

「四マイルまで速度一六〇ノット、了解」

「俺たちは運がいいな、え？」

「はい。あのエマージェンシー機のあとになったら、少なくとも三〇分は待機飛行させられたでしょうね」

高速での進入を指示された大手ゼネコン坂上組の社用ジェット機ファルコンが、成田空港に降りる最後の航空機となった。成田空港ではニッポンインター二〇二便緊急着陸予定の一四時台には一六便の到着があり、一五時台にも一八便の到着があった。加えてほぼ同数の出発機もある。離発着を停止した場合、これらの到着便を他の空港に振り分けねばならず、航空管制の混乱を少なくするためには、少しでも多くの便を、緊急着陸機到着前に成田に降ろす必要があった。そのため成田空港の離発着は、ぎりぎりまで続けられた。

そのあとに飛来してきた便は海上のポイントへ誘導され、ホールディングに入るよう指示が出された。

ヨーロッパからの便や、太平洋を越えて成田へ向かっていた長距離便の多くは、燃料の余裕が少ないので急遽新千歳《きゆうきよちとせ》空港に行き先を変更した。ニューヨークからのニッポンインター〇〇九便は、千歳が混むとみるとすぐに仙台空港へ向かった。東南アジア方面から成田に向かっていた便は、関西空港、あるいは福岡空港などへ臨時着陸した。

「途中、すっ飛ばしたのが効いたな。悪くすりゃ、成田には降りられなかったかもしれんぞ」

「さすが社長、読みがいいですね。うちが最後でしょう。うちのあとは緊急着陸機のためにに、滑走路クローズですよ。タッチの差でしたね」

社用ジェット機は成田の進入管制レーダーに誘導され、筑波山《つくばさん》の上空を過ぎ、霞ヶ浦《かすみがうら》から右旋回して最終進入コースに向かった。その頃から社用機のパイロットはそわそわと落ち着かなくなった。

「社長、そろそろ操縦を代わりましょうか、今日は進入速度がかなり速いので……」

一四時一〇分、成田空港は緊急着陸に備え、ファルコン機を最後にすべての離着陸が停止された。

早めにフラップを降ろしてよかった。

江波がそうひとりごちながらチェックリストのハイドロ系統故障のページを開いた。

「そのページの頭から読んで。声だして」

異常時チェックリストを夏子に渡しながら江波は叫んだ。

夏子にしてみればそんな分厚く重いチェックリストは、見るのも手に取るのも初めてだった。黄色いページの一行目をおそるおそる読んだ。

「デマンド・ポンプ・セレクター・オン」

「もっと大きな声で」

何がどうなるのか、また意味もわからなかったが、夏子は一生懸命に読み上げた。

江波はチェックリストの読み上げに従って、スイッチを切ったり、入れたりして、不要のところにくると「そこは飛ばして次へ」などと指図する。

「そこまで！」

江波に止められた。

「成田アプローチに、『ハイドロアウトのため、着陸したあとにステアリング（地上走行用のハンドル）が使えない』と言ってくれ。滑走路の上で停止する」

いきなり言われて夏子はマイクを口に当てたものの、なんと返答していいのかわからず、すぐには声が出なかった。

「なに考えてるんだ。早く言って」

「アプローチ、ウィ・ハヴ・トラブル・オン・ハイドロリック・システム。ストップ・オン……」

《成田進入管制、そちらの要求を了解。許可する》

インターホンの呼び出しが鳴った。江波が取った。玲衣子からだった。

《江波さん。先ほどの航空大学の学生さん、見つかりました。その方は、やはり怪我をされていました。耳から出血されていて、江波さんのお手伝いはできないと思われます。夏子をキャビンの保安要員から抜きます》

「了解、ありがとう」

もう彼女に最後まで手伝ってもらうしかない。

突然、ピ、ピ、ピ、ピ、と警報が鳴り、残燃料微量のメッセージが画面に現れた。急いで頭上の計器板のスイッチに伸ばした江波の腕から汗がしたたった。燃料ポンプのスイッチをすべて入れ、燃料タンク間をつなぐバルブスイッチをオンにする。それは燃料がなくなる前に行う最後の手段であった。

静かになった成田ディスパッチルームに、管制塔直通の電話がちりちりと鳴った。

「もしもし」。受話器を取り上げたディスパッチャーは、最初「はい」「はい」とテンポ良く答えながら聞いていたが、送話口を手でおさえると突然椅子《いす》から立ち上がった。顔色が変わっている。

「大変です。いま滑走路が閉鎖になりました」

向き直ってそれだけを言うと、長身の彼はそのままかがみ込んで電話を続けた。

「なに？　閉鎖だって？」

奥のデスクで課長が立ち上がった。

「はい。小型機が滑走路上でパンクして動けないとのことです」

ディスパッチャーは受話器を置きながら、呆然《ぼうぜん》とした表情でこちらに向き直った。

「どんなに急いでも、どけるのに二〇分以上はかかるそうです」

「それで二〇二はいまどこにいる？」

課長が管制通信をモニターしている男に向かって怒鳴った。

「いま羽田に向かわせる指示が出た」

男は片手でイヤホーンを押さえながら、やはり立ち上がって答えた。部屋にいた全員が立ち上がっていた。通信がスピーカーに切り替えられ、夏子の声が届いた。

《確認する。ハネダに誘導か？》

《その通り、右旋回針路180、現在の高度を維持せよ》

「そんな馬鹿な。羽田までの燃料があるわけないだろう！　すぐ計算しろ」

課長はヨーロッパ線担当者に怒鳴ると、「すぐ本社に電話だ」と女子事務員に命じながら、自分の机の上の電話機をつかみ、羽田のフライト・コントロール・センターの短縮番号をたたいた。呼び出し音は鳴らず、話し中でつながらなかった。すぐに別の番号にかけ直したが、そちらも通話中だった。急いで羽田ディスパッチのカウンターの短縮番号を押した。やはり話し中の音が受話器から流れてきた。

「どうなってるんだ」

課長は受話器をたたきつけるようにして電話を切った。

女子事務員はいらだちを露《あらわ》にする課長をおそるおそる見ながら「課長、本社の電話はすべて話し中でつながりません」と進言すべきかどうか悩んでいた。

7 パイロット・イン・コマンド

進入中止の指示を受けたとき、二〇二便はフラップのポジションをテンに下げようとしたところだった。車輪を降ろしていなかったのは幸運だった。降ろしていたら油圧故障のために格納し直すことができず、空気抵抗を増したため瞬《また》く間に燃料を使い切ってしまったことだろう。

「なに？　羽田なんて行けるわけねぇだろう」

江波は怒鳴ると、いままで降ろしていたフラップ・レバーを、ガチンと音をさせてアップの位置にたたき込み、同時に機体を水平に戻した。油圧故障のため、通常の何倍もの時間がかかる。その間に現在位置から代替空港の羽田に向かう「ルート2」に、コンピューターを切り替えた。

新しいコースの燃料計算をしていたコンピューターが、黄色い文字でＥＩＣＡＳ画面に現わしたのは、燃料量不足という最悪のメッセージだった。羽田まで行くには燃料が足りない。予想はしていたものの、あらためて表示されると、寿命が縮まった。

もう一刻の猶予《ゆうよ》もない。いまできることは、ただ一つ。このあたりで一番近い飛行場、自衛隊の下総《しもうさ》基地に降りることだった。一度も降りたことのない飛行場に故障した機体を着陸させる。それにはかなりの危険が伴うが、この際どんな方法があるのだろう。燃料の心配のなかったあの時点で、新潟空港へ降りていればこんなことにはならなかった。

判断の誤り、それは明らかだ。俺は失敗したのだ。

全身の血がひいてゆくのを感じながら、近隣の空港を航法画面に呼び出した。江波は自分の目を疑った。下総基地は表示されず、コンピューターは、そっけなくデータが入力されていないことを示すのみだ。滑走路が短かすぎるのだろうか。燃料さえあれば上空まで行って目で見てから降りることもできるが、いまはその余裕はない。降りる飛行場がないとは。

心臓の痛みとともに頭に血が昇り、指先が冷たくなってゆくのがわかった。もう一度空港を呼び出してみたが結果は同じだった。

「なぜデータを入れてないんだ。こんなとこをケチりやがって」

江波は思わず操縦桿《かん》を殴りつけると、うわずった声で怒鳴った。一瞬何をしていいのかわからなくなった。指をキーボードの上に行き来させてるだけで、考えが全くまとまらない。

やはり、あのとき千歳《ちとせ》に行けば良かった……。緊急事態なのに、俺はなぜ滑走路が一本しかない成田を選んでしまったのか。千歳なら滑走路が四本もあった。大失敗だ！　悔恨が何度も頭の中を駆けめぐる。

「江波さん、落ち着いてよ。羽田到着は何時になります？」

キャビンの玲衣子とインターホンで話している夏子に尋ねられた。行き先が羽田に変更になったことを伝えたので、玲衣子から到着時刻を聞かれたのだろう。

江波はコンピューターの入力画面をもう一度見直し、羽田到着予定時刻を調べた。

「現在のところ、五時二六分UTC、十四時二六分ローカルだ。……二六分？」

夏子に教えたことで、到着時間が羽田と成田で通常の巡航速度で六分しか違わないことに気がついた。

余裕燃料が九分あったはずなのに、燃料が足りないのはなぜなんだ。

汗が額を伝わってこぼれ落ちた。震える指で羽田までのルートをもう一度チェックする。頭はもう働かない。指でなぞって一つ一つポイントを確認する。

わかった。

コンピューターの羽田進入着陸ルートの一番最後には、着陸復行ルート（着陸できない場合の待避ルート）が、組み込まれている。通常はそちらも自動的に燃料計算するのだ。

　急いで羽田から先の着陸復行ルートを消去し、もう一度燃料計算を試みる。じりじりしながら画面を見続けた。五秒ほどの時間がとてつもなく長く感じられたあと、燃料量不足のメッセージが画面からスッと消えた。

　江波の口から口笛のような安堵《あんど》のため息が漏れた。これほどホッとしたことはいままでなかった。運航鞄《かばん》の中のジェプソン・ファイルから、羽田の着陸進入図を取り出す余裕がやっと生まれた。

　江波が降下の許可をもらうように指示すると、夏子はすぐに羽田の進入管制に呼びかけてくれた。

「東京アプローチ、こちらニッポンインター二〇二便。現在七〇〇〇フィート、降下の許可を求む」

《二〇二便、羽田滑走路22にレーダー誘導する。右に旋回し磁方位二〇〇度を維持し、三〇〇〇フィートに降下せよ》

　これで羽田に向かう準備は整った。

　ピーンとチャイムが鳴った。エコノミークラスのギャレイからだ。

《Ｌ４、山崎リサです。41Ｊの特殊旅客の男性ですが、現在頸骨《けいこつ》動脈触知不可で、再び心停止状態になりました》

山崎リサの息が荒くなっている。

《いま心マッサージと酸素吸入を続けています。チアノーゼも先ほどよりかなり進んでいます。血圧が低くなっており、強心剤を注射したいのですけれど、もしご許可頂けないなら早く降りて下さい、お願いします。呼吸もほとんど停止に近い状態です、停止した場合五分以内に甦生《そせい》できなければほとんど助かりません。お願いです》

事態がかなり緊迫しているのはわかるが、しかしこれ以上早く降りることは物理的に不可能だった。

「わかった。強心剤を含めて、可能な限りの処置を頼む」

インターホンを切ったリサは、心マッサージをしている二人のナースを見た。二人は明らかに自分より経験不足と思われたが、強心剤の注射には反対した。医者の判断のもとでなければ危険だという。あと数分で着陸できるなら、心マッサージで保《も》たせたほうが負担が少ないと判断したらしい。それにしても慎重すぎる。自分が言い出さなければ、心マッサージの時期を逸したのではないかとさえ思えた。

「元看護師」のリサが、直接患者に触れることを彼女たちが極端にいやがるのが不愉快だった。この患者に本当に必要なのは心マッサージでなく、甦生のためのマウス・トゥ・マウスの人工呼吸だろう。酸素マスクでは、肺に酸素を強制的に送り込むことができない。そのぐらいのことはマスクを見ればわかるはずだ。もう我慢できない。

リサは二人の前に進み出た。

「私がファイヴで口に空気を送り込むから、カウントして下さい！」

リサは患者の顔の上にかがみ込むと、両手で相手の顎《あご》をつかんで口を開き、自分の唇を当てた。看護師の一人が目をつりあげて叫んだ。

「駄目よ！　この人エイズかもしれないのよ」

驚いた。唇が触れたぐらいでエイズが感染することはない。看護師ならそのくらい常識のはずだ。何を素人《しろうと》のように怖がっているのだろう。

「一緒にカウントして、はやく。ワン、ツー、スリー、フォー、ファイヴ！」

唇を付けると一気に息を吹き込んだ。患者の口に耳を持っていき、呼吸を確かめる。だめだ。心マッサージを続けながら次のカウントに入る。ワン、ツー、スリー、フォー、ファイヴ！　リサは夢中だった。何も怖くはなかった。

目的地が羽田に変更された。キャビンのスピーカーからは山本玲衣子の指示が飛ぶ。CAはすぐにライフベストを持って、もう一度緊急ポジションに付いてください》

《着水の可能性を考えてライフベストの着用法をデモします。CAはすぐにライフベストを持って、もう一度緊急ポジションに付いてください》

エコノミークラスの乗客は椅子《いす》の下から、ビジネスとファーストクラスは椅子の前のカバーを開けてライフベストを取り出すようにアナウンスが行われた。キャビン全体に戸惑いが広がった。しかし、羽田の滑走路は海に突き出していること、これもまた安全上、万が一の可能性を考えての処置であることが何度もアナウンスされ、キャビンは落ち着き始めた。

あと一〇分を切っている。リサと玲衣子を除く三人のCAは、キャビンの一番前の椅子にもう一度登り、玲衣子のアナウンスに合わせてデモを行った。

キャビン全体が黄色に染まっていった。華やかな景色にみえるが、その色は危険度がそれだけ高くなったことを意味していた。

一三六名の乗客にライフベストを着用させるのは、玲衣子を含めた五人のCAにとって、まさに時間との闘いだった。皆必死だった。意識のない乗客にも着けなければならない。そのうえ着陸の五分前までには、自分たちもライフベストを着け、ベルトを締めて着席していなければならない。

玲衣子が腕時計を見たとき、マニキュアがはがれているのが目に付いた。こんなときにマニキュアが気になるとは。そういえば三つ足りないはずだったライフベストの報告がなかった。乗客全員の席に存在したことになる。

五人のCAがやっとそれぞれのポジションについたとき、機は黒光りする東京湾に差しかかっていた。

成田着陸のために降ろしたフラップは、羽田に行くことでまた上げなければならなかったし、上がりきるまでは空気抵抗の固まりになった。高度も下がりすぎていた。これらの抵抗の増加は、羽田へ向かう燃料消費を計算より大きなものにする。

千葉市を左に見ながら機が荒川上空へと針路を取り終わった頃、再び燃料量不足のメッセージが現れた。今度こそ一〇〇パーセント滑走路までたどり着けないことを意味していた。

「江波さん、燃料がないわ。どうしよう」

夏子が叫ぶ。

羽田空港は東京湾に面している。コクピットの窓からは都会の澱《よど》んだ空気を通して、鈍い色を放つ海が見えていた。

「東京湾だわ！　私たちが着水させられるのは東京湾だったんだわ！」

「変なこと考えるんじゃない。大丈夫だ。この計算はあくまでも正規のルートを飛んでの話だ。いまはレーダー誘導でショートカットしているから大丈夫だ。心配しなくていい」

そう言ったものの確信はなかった。

江波は黒くよどんだ東京湾を見ながら、キャビンに着水の備えもするように指示しなかったことが気になっていた。ライフベストの説明はしてあるが、いまからでは間に合わない。なんとしても滑走路までたどり着くのだ。

着陸のために速度を落とすにはフラップを下げなければならない。しかしそれは大幅な抵抗を生じさせ、燃料をみるみる減少させる。江波は最後の最後まで、フラップを降ろすことを我慢した。

残り二五マイルまで待った。今だ！　江波は時間を節約するために、ポジションを飛ばしてフラップ・レバーをファイヴの位置に入れた。電動モーターがフラップを動かす。通常の倍以上の時間がかかっている。燃料がぎりぎりなので、一秒も、一ノットも、無駄にはできない。一気に速度を落とした。

「アウターマーカーでオートパイロットを外す。感覚をつかんでおくためにね。その前に車輪だけは代替系統で降ろしておくから、その後のフラップ操作を頼む」

「フラップのレバーはこれだったわね？」

「さっき説明したろう。いま俺が動かしたこのレバーだよ。わかるだろ。これを後ろに動かして。それと、一五〇〇フィートと三〇〇フィートの読み上げをしてくれ。その高度でキャビンに指示を出すから」

夏子の乗ったセスナとは、レバーの形状も場所も動く方向も違っている。とまどうのも無理はない。

「はい。フラップと一五〇〇と三〇〇ね。フラップはツー・ファイヴに入れていいの？」

「いや、違う。トゥウェンティとトゥウェンティ・ファイブ。僕が言うからその時にセレクトするんだ！」
ピ、ピ、ピ、ピ、と警報が鳴って、「INSUFFICIENT FUEL」のメッセージがまた現れた。夏子はその音に驚いたのか、手に持っていたマイクを落とした。江波は「もう、わかったよ」と悪態をついてメッセージを消した。隣で夏子が床に落としたマイクを拾うために、ベルトを外そうとしている。
「拾わなくていい。こんなときにベルトなんか外すんじゃない。マイクはヘッドセットに付いているからそれを使って。しゃべるときはそこのボタンを押してもいいし、そのパネルの小さいレバーを使ってもいい。操縦桿の人差指のところにもボタンがあるだろ」

「私、もうダメ……怖いわ。できない！　私、もうできない」

そう叫んだ夏子の目から大粒の涙が流れ落ち、それを隠すように両手で顔を覆《おお》った。強く指示し過ぎたことに気づいた江波は、左手を伸ばして夏子の右手をとった。指の長い彼女の手は汗で濡《ぬ》れて冷たく、細かく震えていた。

「君ができるか、じゃないんだ。君しかできないんだ。よく聞いてくれ。俺たち二人の肩に一五〇人の命がかかっている。あともう少しだからがんばるんだ」

江波は自分にも言い聞かせていた。

「わかっているの。わかっている。でも、もし私が間違えたらと思うと」

そう言って黙った夏子は、首を振りながら下を向いて目をつぶった。涙がぽたぽたと床にしみを作った。

燃料ポンプの半数が空まわりをするか、吐出圧力が足りないことを示すメッセージがたて続けに現れ、スイッチにオレンジ色のライトが点灯した。

《ニッポンインター二〇二便、滑走路22への計器進入を許可する。浅井さんもう少し

だ。がんばれよ！》

「ありがとう……」

泣きながら答えた夏子は、管制官から思わぬ日本語の励ましを受けたことで、なんとか気持ちを持ち直したようだった。夏子が涙を拭《ふ》くために江波の左手から右手を離そうとした。

江波はもう一度手を強く握って、夏子の目を見つめた。涙に濡れた透き通った目だった。夏子も江波を見つめ、しっかりと握り返してきた。その目に迷いの色はなかった。江波は手を離し、夏子は涙をハンカチで拭き取った。

「東京管制塔、こちら二〇二便、最終進入コース上一四マイル地点」

《二〇二便、滑走路22、着陸支障なし。地上風一八〇度一〇ノット》

「着陸支障なし……サンキュウ」

夏子は近づいてくる羽田空港の滑走路を見つめながら答えた。最後のサンキュウは、また泣き声に戻っていた。

滑走路22は、昼間なのにもかかわらず二〇二便のために進入灯を輝かせている。その形が夏子には十字架に見えた。濁った海に浮いた光の十字架だ。自分達がそれに吸い込まれていくように思えてならなかった。

「フラップス・テン、セットして」

江波のオーダーに、夏子は右手を延ばして体を傾け、スラストレバーに置かれた江波の左手の下からのぞくようにして、フラップレバーを動かした。

江波は、キャビン・インターホンのオールコールを押して、すべてのポジションのCAを呼び出した。

「みんな、よく聞いてくれ。あともう少しで着陸する」

「フラップはこのポジションでいいの？」

夏子が不安そうに横から聞いてきた。

「安全な着陸に――」江波はしゃべりながら夏子にうなずいた。

「なると思っていいよ。ただ何が起こるかわからないので、あらゆる事態を想定しておいてくれ。慌《あわ》てないで落ち着いて。CPの山本さんの指示に従ってベストを尽くしてほしい。コクピットも最善を尽くすつもりだ。この先はもう連絡はできないと思う。いままでは僕らの出番だった、この先はいよいよ君たちの出番だ。山本さん、よろしく頼む」

玲衣子には、江波の心遣いがうれしかった。

「L1山本玲衣子です。了解しました。江波さん、ありがとう！」

各々《おのおの》のポジションでベルトを締め、インターホンを耳に当ててじっと聞いていたCAたちも同じだった。

パイロットとCAが心を一つにした瞬間だった。

《L2了解しました》

《R1了解しました》

《R2了解しました》

三つのポジションから短い返事が小気味良く返ってゆく。そして《エコのギャレイ了解しました》と言うリサの声で終わった。いつもの三分の一の人数だったが、インターホンから流れてくるCAの声を聞きながら、玲衣子は心の中で叫んでいた。

これからがあなたたちの本当の仕事なのよ。いまこそ訓練で覚えたすべてを役立てなさい。最後まで決してあきらめないで、一人でも多くの乗客を助けなさい。あなた方の命がある限り。

時間がない！　江波はすぐに車輪を降ろすことにした。機首と胴体の車輪は油圧系統が故障しているため、代替系統を使って出すことになる。ゴーという、車輪が空気を乱す音が聞こえてきた。主翼の車輪の油圧系統は正常なので、通常のレバー操作を行う。

すべての車輪が降りて、定位置でロックされたことを示すグリーンが現れるまで、二人とも表示画面から目が離せなかった。

「よし。オールグリーンだ」

キャビンではスクリーンに前方の風景が写し出された。海上のアプローチライトが縦長の十字型に白く輝いている。乗客は食い入るように画面を見つめている。キャビンのCAたちは、無事に車輪が降りたことを知った。

車輪が無事に降りたことだけで、江波の心に自信がわいてきた。

「よし！　フラップス・トゥエンティ」

「了解。フラップス・トゥエンティ。すごく暑いわ。いままで暑さなんて感じなかったけど」

夏子は腕で額の汗を拭《ぬぐ》っている。首からの汗は胸に流れた。エアコンの効かない機内、特に操縦席は器機類の発する熱で、かなりの暑さになっている。

「外は三二度もある。着くまでに汗びっしょりになりそうだ。燃料は？」

「一一〇〇ポンド」

「あと四分、ない」

江波はフライトバッグから、白いなめし皮の手袋を出して着けた。

「オートパイロットを外す。フラップを降ろしたら、スピードのバグをプラス・ファイヴだから一四四にセットしてくれないか」

「バグって？　このスピードをセットする印ね？」

「そうだ。このノブをまわして数字を一四四に頼む」

「了解。一五〇〇と三〇〇がここに来たときに読むのね」

「そうだ。あと、着陸前にトリム・ゼロと言ったら方向舵《だ》トリムをゼロにセットしてくれ。電動だから、この矢印をゼロのところにもってくるようにノブを左にまわして」

「はい。左にまわします」

「そう。この矢印がゼロのところへ行くまで、左にひねったままにしておくんだ。わかるね？」

「了解」

江波はジーッ、ジーッと二度モーター音をさせて座席の位置を直すと、操縦桿《かん》のボタンを二度押した。オートパイロットが音もなく外れ、操縦が手動に切り替わった。機が着陸誘導電波に乗ったことを確認すると、フラップを下げるように夏子に指示した。

「フラップ、トゥエンティ・ファイヴ。セット・ターゲット・アプローチスピード」

「了解、フラップ、トゥエンティ・ファイヴ。スピードセット、144《ワンフォーフォー》。高度一五〇〇通過」

夏子が高度を読み上げる。

スピードをセットし終わった夏子の指は、江波からもわかるほど震えていた。

キャビンに江波の声が響いた。

《着陸二分前。Two minutes before touch down.》

CAたちは二分後にとるべき行動を頭の中で繰り返し復習した。二人のナースは玲衣子が用意した近くのシートに走った。

リサは患者から離れ、酸素マスクとボトルを一緒のカートに入れて鍵《かぎ》をかけると、L3ポジションまで飛んでいって位置についた。ベルトを締めたあとで、胃酸とアルコールのにおいがする唾液《だえき》の味に気がついた。

フラップが下がると、機体の空力中心が移動する。その位置でトリムをとり、スタビライザーの角度を変えて機体を空力的に安定させる。トリムを取り終わったところで、江波は操縦桿に、ブルルルという異常な音と振動を感じた。小型機が教えてくれたスタビライザーの損傷。いまここで安定板が壊れたら、すべてが終わりだ。また全身を冷や汗が覆《おお》った。

夏子も動揺に気が付いたらしい。細くて長い指がそっと操縦桿に触れる。

「この振動、何？　ノーマルじゃないわ！」

「たぶん、スタビライザーだ。あと一分は、大丈夫。そのくらいなら保《も》つ！　燃料残は？」

「五〇〇ポンド、いま三〇〇〇フィート通過！」夏子が読み上げる。

振動がキャビン全体に広がりあらゆる物体が音を発した。緊張しているキャビンに再び江波の声が流れた。

《着陸三〇秒前。衝撃防止姿勢をとれ。Brace for impact !》

それを合図に、CAたちが一斉に声を張り上げて、生き残るための指示を出す。

「頭を下げて！　お腹《なか》に力を入れて！」

「Hold your head！ Brace yourself for impact！」

キャビン全体に、必死に叫ぶ彼女たちの肉声が飛び交う。小泉由香も、早川さなえも、頭を下げ足を踏ん張って叫んでいた。リサもエコのギャレイの特殊旅客に聞こえるように必死で叫んだ。

「頭を下げて！　Head down！ Brace your stomach！　お腹に力を入れて」

キャビンの椅子《いす》に運ばれ、そこでベルトをかけられていた一ノ瀬かおりも、このエールを聞いて意識がはっきりしてきた。ひどい頭痛が襲ってきたが、それでもその場所で、できる限りの声で叫んだ。

「頭を下げて。顎《あご》をひいて！　Head down！」

「頭を下げて。お腹に力を入れて！　Brace your stomach！ Bend over！」

コクピットでまた警報が鳴った。心臓に突き刺さるような音だった。一番エンジンの燃料圧力が足りない。燃料がもはや尽きたのだ。悲鳴を上げそうになった夏子は、無意識のうちに椅子の肘掛《ひじか》けを思いきり握りしめていた。

江波は、一番エンジンの燃焼ガス温度が急速に落ちていくのを目の隅に捉《とら》えた。

一番エンジンが止まり警報が鳴った。左側のエンジンが二つとも機能を停止したことで、機体はぐっと左に傾こうとする。傾いたら終わりだ。なんとか水平を保つ。急速にスピードが落ち始める。江波は右側の二つのエンジン出力を上げた。

エンジン音が一段と高くなり、悲鳴に似た音に変わると同時に、左右の出力アンバランスのため、機体が左に持っていかれた。修正がわずかに遅れた。機首が左へ向きかかった。あせった。右足を使って方向舵で必死に抑える。しかし機体はすでに弱い蛇行運動に入り、横に滑り始めていた。なんとか押さえようとするが、ラダーペダルにも振動が伝わり、足も膝《ひざ》もがくがくと震えてもう細かいコントロールができない。

額の汗が振動で飛び散った。コクピットのすべてが音を出して震えていた。振動がひどい。もう計器が読めない。スピードも高度も読めない。

騒音と振動の中で、電波高度計の人工音声が高度を知らせてくれた。《ワン・ハンドレッド》江波は耳で高度を読んだ。

《フィフティ、サーティ、トゥウェンティ――テン》

目は滑走路の接地点だけを目標に、そこからずれないように。それだけを考えていた。

二〇二便の主車輪は、滑走路の端から一八〇〇フィート過ぎに、二四八キロのスピードで接地した。摩擦熱で十六個のタイヤからパッと青い煙が上がる。横に滑りながらの接地だったため、かなりのショックを伴った着陸となった。

主翼の上のスピードブレーキが開き、オートブレーキが十六個の車輪のカーボンディスクを自動的に締め上げる。

着陸後もわずかに蛇行が続いた。逆噴射は左エンジンが二基ともに不作動のためと、ステアリングが効かないことで使用できない。

江波は八〇ノット（時速一四八キロ）でオートブレーキを解除し、左右のブレーキを使い分けながら滑走路の端の誘導路に少し入ったところで機体を止めた。まだ回っている残り二基のエンジンを急いで止める。

回転が落ちていくエンジンのすぐ横では、リバースなしの制動で酷使され、真っ赤に焼けたブレーキから、うっすらと紫色の煙が立ち上っていた。

エンジンの停止と同時に機内の明かりが消え、非常用灯だけになった。ＣＡたちは緊急脱出のポジションに着き、脱出口を開ける前の安全確認の声をキャビン中に響かせた。乗客は一斉に立ち上がり、近くの脱出口に殺到する。

「手荷物は持たないで下さい！」

「We are all right！ Keep calm！」

「手荷物は置いて下さい！」

ＣＡの叫ぶ声があちこちから聞こえた。

どのＣＡもいつ脱出信号が鳴っても大丈夫なように、脱出ハンドルに手をかけたまま身構えた。静まりかえったキャビンに、近づいてくるいくつものサイレン音がはっきり聞こえた。誰も口をきかなかった。破裂しそうな無音状態が続いた。電源が切られて薄暗くなったキャビンには、緊急脱出口とその進路を示す床の赤い光の列だけが輝いていた。

操縦室の江波はスイッチを次々に切りながら、夏子に管制塔から火災が見えるか聞いてくれと頼んだ。

「煙か火災が、見えますか！」

《こちらからは何も見えません。大丈夫のようです。無事着陸おめでとう！》

「ありがとうございました。ご心配をおかけしました」

薄暗いキャビンのスピーカーからボツボツというマイクの音がして江波の声が流れた。

《皆様、当機は火災発生の心配はありません。緊急脱出の必要もございません。しかし故障のため、この場所から動くことができません。このままタラップ車が来るまで、機内でお待ち下さい。皆様にご心配をおかけいたしましたことを、心よりお詫《わ》び申し上げます。ご協力、誠にありがとうございました》

アナウンスのあと、間をおいてからキャビンにどよめきと拍手がわいた。乗客にやっと笑顔が戻ってきた。通路に客が並び始めた雑踏のようなキャビンを、リサは急いで病人のところへ戻った。二人のナースはまだ戻ってきていなかった。床に両膝を着けると耳を特殊旅客の口に近づけ、呼吸の有無を確かめると次に瞳孔《どうこう》の状態を見る。機内は暗いのでフラッシュライトをあてた。まだ大丈夫だ。脈もかすかにある。リサは口移しに息を吹き込み、ワン、ツー、スリー、フォー、と夢中で人工呼吸を続けた。

江波はアナウンスを終えると夏子に視線を向けた。ぐったりと椅子に体を預けている彼女のアイラインは滲《にじ》み、まだ涙で光っていた。江波は興奮して感情的になり過ぎたことを反省していた。彼女はパイロットではない。できなくて当たり前なのに本当によくやってくれた。江波は手袋を手から引き剝《は》がすと、腕を伸ばして彼女の頭からヘッドセットをそっと外した。ほつれた髪が汗に濡《ぬ》れた首すじにまとわりついていた。

「終わったよ」

「そうね、終わったのね」

夏子が目を閉じたまま、囁《ささや》きを返した。

*

《オールコール、セレクターレバー・マニュアル。皆様まもなく救急車が到着いたします。まず負傷された方から降りていただきます。お怪我《けが》をされていても、ご自分で歩ける方は前方にお進み下さい。他のお客様もご順に前方にゆっくりとお進み願います。お出口は前方二ヶ所となっております》

キャビンに流れた玲衣子の声に拍手がわいた。

乗客たちは、互いの顔を見合わせ、握手を交わして無事を喜んでいた。トイレでストッキングを履こうとした女性が、電灯がつかないことに気づいて笑いながら出てくる。乗客全員がゆっくりと前方に移動し始めた。その笑顔は安堵《あんど》感にあふれ、顔も輝いている。非常口に立っているCAに握手をする人も多かった。機内の写真を撮る人たちのフラッシュが、暗いキャビンに何度も光る。

エアコンも効かず窓も開かない薄暗い機内は、直射日光にさらされたドラム缶と同じ状態となり、タラップ車到着までの短い間にも室温はじりじりと上昇を続けた。

やっとL1ドア（前方左側の一番ドア）のハンドルが外からまわされ、厚さ一五センチの扉が外側に開けられると、明るい太陽の光と一緒に、外気が蒸し暑い機内に流れ込んだ。玲衣子はその空気を胸いっぱいに吸い込んだ。夏のむっとする湿った空気だったが、それは機内の誰にとっても、待ちわびていた生還の味だった。前方にいた乗客からどよめきが起き、人の流れはさらに前へと進んだ。

しばらくして、L2ドアも外からハンドルがまわされ、外側に引き出された。そこから、担架を持った数人の救急隊員が乗り込んできた。具合の悪そうな刑事に付き添われた特殊旅客がまず最初に運び出され、次に怪我人が出されると、乗客も次々とタラップから降りていった。

リサはハンドタオルで汗を拭《ふ》きながら先ほどまで一緒だった二人のナースを探して

いた。しかし混乱と人波でついに見つけることができなかった。あれだけ協力してくれたのに、そのお礼を言う間もないまま、名前も告げずに降機されたらしい。

乗客の顔に深く刻まれていた疲労の痕《あと》は、明るい太陽とほっとした笑顔の中で徐々に緩んでゆく。

二〇二便は赤いライトを光らせた車に取り囲まれていた。爆発した二番エンジンと燃料漏れを起こした部分には、消火剤が噴射され、白い泡があたり一面に流れていた。機内から出てきた乗客や空港警察、消防、整備などの人々が叫び、走りまわっていて、あたりは混乱の極みに達していた。サイレンを響かせた救急車が次々と走り去っていく。タラップの上には三人のレスキュー隊員が残って、状況を見守っている。

すべてのドアが開かれたため、キャビンは少し明るくなったが、引き替えに外のけたたましいサイレンの音などの騒音が侵入してきた。がらんとした機内では、警察や整備の関係者だけが忙しく動きまわっている。

ＣＡたちは降機前の点検を行いながら、これまでの一時間四一分を頭の中で振り返り、無事に着陸した実感をかみしめていた。

そんなとき、インターホンチャイムが鳴り、ライトが激しく点滅を繰り返した。コード55、緊急連絡を意味している。全員が緊張してそばの受話器を取り上げる。興奮した小泉由香の声が聞こえてきた。
《山本さん、ありました！　ありました。いま後ろの席で忘れ物がないか見ていたんです。そうしたら椅子《いす》の下に赤いリボンが垂れていて、あれ、と思って見たらその下にあったんです》
息が荒くなっている。
「ライフベストの黄色い袋があったのね。そうなの？」
《はい。何か入っていて重いんです。着陸のショックで下に落ちたのだと思います》
「わかったわ。どこの席？」
《63Ｅです》
「江波さん、聞こえてます？」
玲衣子はインターホンで江波に確認しながら、淳子に乗客名簿を持ってくるように手で合図を送った。
《ああ、聞いている。袋は一つだけか？》
江波が由香に直接聞いている。

《はい。まだ他の席は調べていませんが》
「由香、その袋には何が入っているの？」
《外側から触ってみましたが、まだ中は開けてないんです。一応不審物ですので。開けますか？》
「開けなくていいわ、いまそっちへ行くから。江波さん、ちょっと待って下さい。調べてすぐに連絡します」
《了解》
玲衣子は機内にいた警官と一緒にキャビンの後方に向かい、それまでの経緯を話した。
残り二つの不審物は両隣のシート下の収納場所にあった。袋の中には白い粉の詰まった厚手のビニール袋が入っていて、はちきれんばかりに膨らんでいた。そのうちの一つは袋が少し破れていて、中の白い粉が周りに散らばっている。しばらくそれを調べていた警察官は、トランシーバーで麻薬取締官の派遣を要請した。
玲衣子は状況を江波に連絡した。
《了解。ちょっと浅井さんが》

江波が言い終わらないうちに夏子に代わった。

《玲衣子さん、夏子です。その席はエコの一番後ろですよね。そこの四席使って横になっていた人を覚えています。女性客で三四、五歳。日本人だと思うけど、ショートヘアで目立たない地味な服装でした。ベージュのサマーコートにグッチのバッグ、フェラガモの靴だったわ。かなりスタイルのいい人よ》

玲衣子は夏子が言ったことを警察官に説明した。

「そこに座っていた人間の、できれば乗客の名前はわかりますかね」

警察官は手帳を取り出した。

「いまPILで調べたんですけど、その席は空席になっていて、お名前はわかりません」

由香もその女性を覚えているという。

「私も覚えています。でもその方、外国人じゃないかしら。座席移動で着陸時にはDキャビンに移られたはずです」

降機後の乗客について江波からキャビンに連絡が入った。二〇二便の乗客はいったん会社の用意した休憩室に入り、帰宅手段の希望を聞き、NIA社の責任でそれを手配する。成田に戻らずに羽田から帰る乗客に関しては、ここで入国手続きと税関を済ませる予定にしている。63Eの女性については、休憩室にいる乗客の中から、それらしい人を捜すように旅客課に頼んだのだが、その乗客が見つかったらどうするのか尋ねてきているという。玲衣子はそれを警察官に伝えた。

「麻薬取締官待ちなので、どうしようもないですよ。そうですね、名前とパスポートナンバーぐらい控えさせていただいて、そのくらいしかできませんね。取締官が現場に到着し次第、結論を出せると思うんですが。それまでなんとか引き延ばしていただけると、ありがたいんですがね。まあ、それにあとからでも、乗客名簿で身元の割り出しはできるでしょう」

「山本さんよろしいですか？」

リサが申し訳なさそうな顔でそばに来ていた。

「リサ、何かあるの」

「はい、先ほどのナースの方、お名前を伺う前に降機されてしまい、お礼も言えなかったんです。もしまだそこにいらっしゃるようでしたら、せめてお名前だけでも伺っておきたいのですが。お願いできます？」

玲衣子もそれが気になっていた。江波にカンパニーで連絡してもらうように頼んだ。

蒸し暑い機内でさらに一〇分が過ぎた。その間に何の連絡もなく、取締官も到着しなかった。もう一度催促をしようと思っていたところに、前方から玲衣子に向かって走ってくる人影があった。旅客課の若い男性で、二人のナースについての情報が入ってきたと、トランシーバーを玲衣子に差し出した。玲衣子は慣れない手つきで耳元へ持っていった。

「こちら二〇二便のCPですが」

《二〇二担当の旅客課西沢と申します。看護師さんの件ですが、こちらでもいろいろ調べたのですが、どうにもわかりません。こちらのデータで見る限り、その便には医療関係者は一人も乗っていません。お医者様のご予約はあったのですが、ロンドン出発間際《まぎわ》に緊急のお電話があり、お乗りにならなかったそうです。そのナースと称された方、元看護師さんだったのかもしれません。何か特徴がありますか?》

「え?」

トランシーバーから流れた話を聞いて、玲衣子とリサは驚きの声を上げた。玲衣子はリサの目をのぞき込むようにして見た。

「あの二人のナース、顔を覚えている? 点滴していた一人は日本語をしゃべっていたけど、茶色の髪で外国人のようだったわ。私が行ったときには二人ともマスクをしてたから。長崎の聖フランシスコ病院の看護師さんと言ってたわね？」

「はい。あの方たちは最初からペーパーマスクとゴム手袋をしていました。ちょうど持っていたからと言っていましたけれど。私も顔は見ていません」

看護師が旅行するときに、ペーパーマスクとゴム手袋を持ち歩くだろうか。二人は驚きで声も出なかった。

あの二人はいったい誰だったのか。特殊旅客をめぐる不穏な動きとは、もしかするとあのナースたちの行動を指していたのかもしれない。


「ここは警察の方々にまかせて、私たちは帰っていいそうです」

様子を見に行っていた夏子が、コクピットに戻ってきた。彼女は江波にもう一度機長席に座ってよいかと訊《き》いた。

「最新型ジャンボの機長席なんか、たぶんもう二度と座れないから、よく味わっておきたいの。さっきはそんな暇もなかったから」

「もう二度と座りたくないんじゃないかと思ってたよ」

江波は笑いながら手招きした。機長席に座るときに裂けたスカートがふわりと流れ、そこから見えた夏子の足は、悩ましさを取り戻していた。

夏子は椅子の位置を電動で調整し、コントロール・ホイールに手をかけようとして、床に落としたままになっているマイクに気づいた。かがんで拾い上げたマイクをじっと見つめる目から、涙の一粒がこぼれ落ちる。江波は中央のペデスタルを挟んで夏子の手を引き寄せ、ありがとうと言って優しく肩を抱いた。

コクピットの後ろのドアが開き、小泉由香がカメラを手に顔を出した。

「そのまま、写真を取らせて下さい。すぐにすみます」

フラッシュを数回光らせた。


江波は機を離れる前のチェックを終え、航空日誌を開いたが、まだ指先にうまく力が入れられなかった。ようやく書き終えたところで、江波の手が止まった。

その欄には「CAPTAIN」と書いてある。ここにサインするのは機長だ。しかしサインをする機長がこの場に存在しないことに気が付いた。

自分は機長ではない。江波はしばらく考えるとそれを二本線で消し、

「ＰＩＣ《パイロット・イン・コマンド》」と書き直してから、サインを書き入れた。

制帽をかぶりネクタイを直したあとで、もう一度コクピットを振り返った江波は、

運航鞄《かばん》を右手に持ち、まだ涙が止められないままでいる夏子と一緒にキャビンへ降りていった。

キャビンでは玲衣子を先頭に五人のＣＡが江波と夏子を拍手で迎えてくれた。クルーはお互いの無事を喜んで抱き合った。皆の目は涙でいっぱいだった。

江波は玲衣子を両腕でしっかりと抱いた。お互いの責任を果たした共通の安堵感の中で、玲衣子は江波の胸の中で少女のように泣きじゃくった。

涙を拭き、顔を整えてから、そろって明るい光が差し込んでいるＬ１ドアに向かった。スカートが裂けている夏子を囲むようにして、報道関係者のカメラに取り囲まれたタラップを降りる。小泉由香も早川さなえもそして山崎リサもいたが、誰の目にも彼女たちが今年配属になったばかりとは映らなかった。

二〇二便のクルーたちが満足感と充実感を味わうことができたのは、足が地面を踏みしめてからだった。

「……でもどうやってあんなにたくさんの量を機内に持ち込んだのかしら？　あの方は搭乗されたとき、バッグとコートだけで手荷物は持っていらっしゃいませんでした」

ターミナルに向かうクルーバスの中で、疑問が一斉に噴き出していた。

「ちょっと待って。本当にその人が持ち込んだの？」

「他に誰が……」

「イギリスの手荷物検査では見つかってしまうわ」

淳子がロンドンの持ち込み手荷物検査の厳しさを説明した。新人のCAはクルーの出入国検査については知っているが、英国出国の手続きについてはほとんど知らない。淳子がバスの後ろのほうに座っているので、皆、ひねった体を半分通路に出すようにしてそちらを向いている。

「それにけっこう重そうだったわよね。あれを三つバッグに入れるの？　重すぎて無理よ、絶対に怪しまれるわ。それに」

玲衣子が何か言いかけたが淳子のほうが一瞬早かった。

「ずーっと何かがひっかかっていたのよ。いまわかったわ。玲衣子さん、トラブルパッセンジャーが衝撃防止姿勢をとらないってゴネたときに、私に二人の妊婦さんのベルトを再チェックするように指示されましたよね。あのとき二人ともちゃんとかがんだ姿勢を取っていたんです。一人の方は四ヶ月ということで不思議ではないのですが、いま考えると出産を一ヶ月後に控えた妊婦さんが、かがんだ衝撃防止姿勢をとれるなんて、おかしいですよね！」

「あの妊婦さんは偽者《にせもの》だったということですか？」

小泉由香が信じられないと小声でつぶやく。

「衝撃防止姿勢がとれたのは、お腹《なか》が大きくなかったからじゃないかしら。麻薬の袋をライフベストのあった場所に移したあとだったから」

夏子が一つ後ろの座席に移ってみんなのそばに来た。

「妊婦さんのお腹を触って調べることは英国でも絶対にしないわ。お腹に重い物を巻付けて歩き方が変になっても妊婦さんなら誰も疑わないし……」

「ちょっと待ってよ、麻薬を移したあとは、お腹の膨らみがなくなるでしょう？　そこにライフベストを入れれば膨らみも戻るし、怪しまれないはずよ。それなのになぜ捨てたのかしら」

「そうよね」

玲衣子の疑問に淳子は一瞬考えたが、すぐに他の五人に顔を向けた。

「何か、ライフベストを捨てなければならない理由、考えられない？」

しばらくは誰からも答えが出なかったが、小泉由香が自分の手を見ながら口を開いた。

「あのぉ、いいでしょうか？　袋が一つだけ破けて粉が散っていました。その粉がいまも私の手に付いているので思ったんですけど、もし犯人が麻薬を運ぶために体につけていたコルセットのようなものの中で、あの袋が破けたとしたら？　麻薬を持っていなくてもそのコルセットを着けているだけで、成田税関のロビーで麻薬犬が横に来て座るかもしれません。犯人はそれを知っていたので脱いで捨てた。だからライフベストを持ち帰ることができなかったのじゃないでしょうか」

由香の手に視線が集まった。確かにあのときはライフベストだけを探した。最初に見つかったトイレのゴミの袋は、証拠だからと中をいじらずにそのまま封をした。コルセットはその中に入っているかもしれない。

「袋が破れなかったら、ライフベストをそのコルセットの袋に入れて、大きなお腹のまま妊婦として入国することになっていたというわけね」

「そうじゃないかと思うんですけど」

「成田に捨てられていたのが三月までだった理由がやっとわかったわ。彼らは運び方を変えたのよ！」

夏子の推理はこうだ。当初、彼らは単純にライフベストを捨て、麻薬をそこに隠す方法で密輸していた。しかし、毎回捨てるのは目立つので、運び屋に妊婦の格好をさせる方法を考え出した。お腹の膨らみに隠して麻薬を持ち込み、上空で入れ替える。成田では七九便に乗る仲間にライフベストを渡す。その仲間は指定された座席の下の麻薬とライフベストを入れ替えて、あとは素知らぬ顔で大阪に降り、街に消える。

「だけど今回は袋が破れるハプニングが起きたので慌《あわ》てたのよ。だから最初の一つは紙袋に入っていなかったんだわ」

夏子の話にはみんなを黙らせるだけの説得力があった。

「あれは何という麻薬なんですか?」

早川さなえの質問には、誰も答えられなかった。

エピローグ

警察の事情聴取、マスコミへの対応、会社への報告書などを終え、江波が自分のマンションにたどり着いたのは夜の一〇時をまわっていた。シャワーを浴びた体は限界まで疲れ切っていたが、時差と興奮が続いているせいで、とても眠る気にはなれなかった。

今回の事故で死者が出なかったこともあってかテレビの扱いは小さく、ニュースの最後に触れるだけだった。日本海上空でのあの小型機が写したという映像、着陸の瞬間、そして自分たちがタラップを降りていく姿。それらは江波にとって遠い昔の出来事のように感じられた。

赤いライトを回転させている救急車に、特殊旅客が担架で運び込まれるシーンが映った。強制送還中の容疑者が、緊急降下の際に気を失って嘔吐物《おうとぶつ》を喉《のど》に詰まらせたが、客室乗務員の発見が遅れたために重体になったのだと報じられていた。

そんなばかな！

あの特殊旅客の具合が悪くなったのは緊急降下の前だった。あれだけ事情を話したのに、このままでは山本玲衣子の責任が問われてしまう。明日、もう一度説明に行こう。それにしてもわからないことだらけだ。「ナース」の件はどうなったんだろう？

二〇二便の乗客の中にナースと称し、特殊旅客の「看護」に当たった女性が二名いたことに触れている局はなかった。最も大きく扱われていたのが密輸で、末端価格三億八〇〇〇万円にものぼる麻薬密輸が事故により発覚したとして、白いビニール包みが映された。犯人は捜査中であると断りながら、様々な憶測が付け加えられている。ひと通り見てから江波はテレビを消した。

今日のエンジン爆発の原因は何だ？　整備員は焦《こ》げた鳥の羽らしいものがエンジン内部から見つかったと言っていた。鳥とすればあの離陸しか思い当たらない。だったらなぜその時壊れなかったのだろう。

スタンドを一つだけ点《つ》けた部屋に、マービン・ゲイを流しながら、江波の心は落ち着かなかった。目を閉じると、後悔ばかりが繰り返し頭に浮かんでくる。これはパイロットの「職人」としての宿命なんだろうか?

やっと家にたどり着いたというのに、脳も体も休息を欲していないとでもいうのか。

いつの間にか、ソファで眠りこんでいた。一ノ瀬かおりの眼差《まなざ》しが、山本玲衣子の優しい顔が、そしてマイクを持って必死に交信する浅井夏子の姿が鮮明に現れてふと目が覚めた。電話が鳴っていた。

「もしもし」

〈江波さん?〉

夏子の声だった。

「浅井さん?　どうしたの?」

〈こんな時間にごめんなさい。もう寝ていらした?〉

「いや、まだ起きていた」

〈いまね、シャワー浴びて、自分の身体《からだ》を見たら、生きているんだなって思って。何か感激しちゃって。それで江波さんにお礼を言いたかったの〉

「こちらこそありがとう。浅井さんは、よくやってくれたよ。難しいことを言い過ぎて悪かった」

〈そんなことどうでもいいのよ。私たちは、懸命に生きようとした。そしていま生きている。それがすごくうれしいの。生きていることを、シャンペンでお祝いしたいなぁと思って。江波さんも一緒にお祝いしてくれない?〉

「そうだよ、何よりもまず生きていることに感謝しなけりゃいけないよな。ほんとにいまから行っていいの?」

〈すぐに来てほしいのよ〉

「何か買っていく物は?」

〈別に、手ぶらでいいわよ〉

「了解。飛んでいくよ。バイクだから二〇分で着く」

〈本日二回目のフライト、気をつけてね〉


受話器を置いた夏子は、濡《ぬ》れた髪の毛をタオルで拭《ふ》きながら冷蔵庫まで行くと、スモークドサーモンと野菜を取り出した。冷蔵庫にはそれ以外にもロンドンから買ってきたスコーンや生パン、ポークソーセージなどがあった。シャンペンの冷え具合をそっと掌で確かめた夏子は、胸の鼓動が高まるのを感じながら冷蔵庫の扉を閉めた。ドアホンが鳴る。江波が到着したのだ。

その夜から江波は墜落の夢を見なくなった。

二日後。プーシキン通りを東に、ストレシニコフ小路を右手に行ったビルの三階で、元大佐は秘書を帰らせたあともデスクに向かって書類に目を通していた。白いレースのカーテンが揺れると、気持ちよい風が入ってくる。夜八時を過ぎても外はまだ明るく、にぎやかな街の音が聞こえていた。モスクワに夏が来たしるしだった。別荘《ダーチャ》で過ごす今週末のことを考えると、元大佐は久しぶりに気分が晴れやかになっていた。

やっと電話が鳴った。手が無意識に盗聴防止装置のスイッチを入れる。

「アロー、俺だ」

〈私です。ロンドン時間の今日の午後、タナカは病死しました。私たちにはタナカと名乗っていましたが、本名はシンジョウだそうです〉

「病死？　そうか。事故だが死者はいなかったと聞いていたからな。何もしゃべらなかったろうな。日本の警察はなんと発表している？」

〈はい。『喉に嘔吐物を詰まらせたことの発見の遅れが原因』と発表しています〉

「何だ？　それは？」

〈〝顔を泥にぶつけなかった〟のでしょう。移送中の被疑者が殺害されるという不名誉な事実に、よほどショックを受けたんだと思います。検挙率世界一の警察の、顔をたてるように配慮したようです〉

「顔を立てるか、いい風習だ」

〈ええ、しかし彼らはすべて理解しています。シンジョウが使ったコーヒーカップから毒物も発見していますし、点滴の残液からアルコールが検出されているそうです。日本の警察が、スコットランドヤードに送ったFAXのコピーが手元にあるんですが、それによると殺害方法の見当もついています。「シンジョウがトイレに立った隙《すき》に、テーブルにあったコーヒーに毒物が入れられた。しかしシンジョウはわずかしか飲まなかったので殺害には失敗した。そのような場合にと用意してあった第二のシナリオに従ったのだろう」。これだけでもプロの仕事であることは明らかだと注があります。それで直接の死因は急性アルコール中毒で「看護師になりすました犯人が、シンジョウの点滴液にアルコールを注入したものと推定される」と結んでいます〉

「サントスもなかなかやるな」

〈サントスはこの便を麻薬の密輸に使っていたんです。ですからなんとしてでも安全に日本に到着させたかったようです。ともかくサントスは約束を果たしました。彼か

ら二人の日系人をよろしく頼むとの伝言が来ています〉

「そうか。二人はいまスズダリ近郊の、俺のダーチャにかくまっているから安全だ。安心するように伝えてくれ」

〈はい。わかりました。でも大佐《バルコヴニク》、その二人の女と一緒に飲むときには気をつけて下さいよ。相手はプロなんですから。へへ、冗談、冗談ですよ〉

元大佐は相手の笑い声を聞きながら、エージェントの顔を思い浮かべていた。背が高く細面の白髪で、仕立ての良い背広にロンドンストライプのシャツ、スクール・タイと、一見品の良い英国紳士風の男だ。表向きは旅行代理店とホテルのサービス調査業をやらせているが、もう六〇に手が届く頃だろう。

〈私の見た限り、サントスはビジネスを失うでしょう。カルテルに内緒で麻薬を動かしたようです〉

「コロンビアに動きがあるのか？」

〈はい。コロンビアで仕事があるという噂《うわさ》です。カルテルはもう手を打ってますよ。日本の警察は参考人として、男女四人を取り調べています。時間の問題だと思います〉

「四人？　サントスのチームは東京まで二人、その先一人の三人じゃなかったのか？」

〈その辺はよくわかりませんが〉

「この話はサントスから出たんだろう。タナカが、いやシンジョウといったな、シンジョウが乗せられる便で、大きなトラブルはやめてくれと言ったのは」

〈そうです。私に接触がありまして、あとはご存じの通りです。こちらとしてはシベリア奥地か日本海の上空で〝原因不明の事故にする〟はずだったんですが、サントスは必ずシンジョウを消すから、すべて任せてほしい、と言ってきました。ただ一つの条件は、看護師に化けた二人の女をかくまうことだけでした。ですからビザや滞在許可を大佐に――〉

「エンジンの爆発はおまえがやったんではないのか？」

〈違いますよ大佐。逆ですよ。準備がすべてできていたので、それを直前になって止めるのに苦労したんです。乗客の中に医者が一人いましてね。それが出発直前にわかったものですから、その医者を乗せないようにちょっと細工しただけです〉

「ほう、そうか。あのアクシデントはまったくの偶然というわけか。不思議なものだな。

〈はい、ありがとうございます。送金はいつもの口座でいいか？」

日本の警察当局は、看護師と称して看護にあたった二人の女性の存在を、認めていない。移送中の容疑者に身分保証のない第三者の接触を許すなど、規定上あり得ないからであった。

乗客名簿にあった女性客五八人に対する追跡調査は極秘裏に行われた。三日後、長崎市郊外に住む保母のパスポートが、海外旅行を一度もしたことがないにもかかわらず、何者かによって取得されていたことが判明した。

その名前は、事件の日の夜モスクワへ発《た》った便の乗客名簿にも載っていた。また、二〇二便に乗っていたカルサンティ明子という名のフランス国籍の女性も、同じ便で出国している。ヨーロッパから日本まで来て、その日のうちにモスクワへ飛ぶというのは不自然であるが、何の証拠も残っていない以上、さらなる調査は不可能に近かった。

一週間後、山本玲衣子は、特殊旅客の異変に気づかなかった責任を取り、依願退職となった。江波順一に対しては航務本部長名で「精神的安定が確認されるまで自宅療養」との業務指示が出された。鈴木ひとみは入院中にもかかわらず事情聴取を受けたが、麻薬密輸には関係ないとして捜査対象から外された。

二〇二便事故に関して警視庁に特別捜査本部が設置され、砧道男、朝霧誠両機長を業務上過失致死傷害罪の容疑で立件する方向で捜査が開始された。これを受けたNIA社は両機長を即刻飛行停止処分とし、人事部付けとした。また乗客の高崎和夫をはじめ数名が、機長及びNIA社に対して賠償請求の準備に入った。


事件の一〇日後、南米コロンビアの有力政治家の息子、ホセ・サントスが自動車事故で死亡した。その報告をロンドンのエージェントから受け取った元大佐は、彼にホセ・サントスの組織がどのようにして麻薬を東京へ運搬していたのかを詳しく調べ、それがモスクワ東京間でも使えるかどうか、仮にその方法で「核物質」を日本へ運ぶと想定して、現在日本入国の際に、体や衣服についた放射能を調べるのに、どのような検査をしているかを調査するよう命じた。

翌日、元大佐はサントスに頼まれてかくまっていた日系人女性二人を、すぐに出国させるように秘書に指示した。

「本殺人事件と麻薬密輸に関しては、我が国のメンツにかけても犯人を挙げなくてはならない」

捜査本部での会議はそのあとも延々と警視庁で続いていた。三週間後、スコットランドヤードから日本の警察に連絡が入った。新庄の身辺調査から、ルクセンブルクの不審な会社が浮かび上がった。調査していくうちに、次々と新庄のビジネスのからくりが明らかになってきた。それは英国政界にも飛び火する可能性があるとして、日本に捜査協力を求めてきたものであった。

当該関係各国への外交上の配慮を第一としたい、という両政府の意向を重んじ、加えて護送中の被疑者が殺害されたという不名誉も考慮に入れ、マスコミに対する一切の発表は差し控えられた。

二ヶ月後、ニッポン・インターナショナル・エア社は、運輸省航空局より航空機運用方式に関する勧告を受けた。国際線の外航機材を内変して国内線に使用することをやめ、機体は国際、国内を使い分けるようにとのことだった。しかしNIA社は、それを採算ベースに乗せるには、実質J社優先の路線許認可制度を撤廃し、自由競争を認めることが不可欠であり、それまでは現状を維持せざるを得ないとして、その航空機運用方式の変更に難色を示した。

同じ頃、事件の取り扱いに手心を加えてくれた各全国紙の見開きページには、連日ニッポン・インターナショナル・エア社の全面広告が掲載され、テレビ局に対しても同様に、翌年四月からの出広を、今年より一五パーセント増やすことが役員会で了承された。成田空港支店総務部管理第一課の川口信夫は、二〇二便関連のマスコミ対策が認められ、九月の人事異動で本社総務部広報課勤務となることが内定した。

＊

二〇二便の第二エンジンは離陸の際に鳥があたって傷ついていた。鷹《たか》の一種とみられるその鳥は、スピナーと呼ばれるエンジンの正面中央部分を整流する丸いカバーに激突した。エンジンと同じスピードで回転している、直径約八〇センチの丸いコーン状部分の、ちょうど中心部分に当たったのだ。そこは鳥とともに内側にめり込み、カルデラ式火山のように陥没した。スピナー全体に、皮肉にも鳥の衝突を避ける意味で、白い渦巻模様が書かれている。そのため回転しているスピナーは、最初から中心がずれているように見えるので、先端部分の形状が変わっていても、外見からは気づきにくいのだ。

衝突の瞬間にはかなりの振動が発生したが、その振動がセンサーの感知リミット外の低周波数であったため、異常振動として計器に伝わることはなかった。しかも離陸時であったため、車輪からの振動に打ち消されて誰にもわからなかった。

鳥と、裂けてちぎれたコーン部分のすべてがスピナーの中に入ってしまったことによって、臭《にお》いがキャビンに入り込むこともなかった。またスピナーの先端部が少し欠けても、全体のバランスを崩すほどではなく、エンジン本体には何の影響もなかった。しかし回転による応力の集中と温度変化による歪《ゆが》みが、その部分のクラックをほんの少しずつ成長させた。

二番エンジンは、離陸後一〇時間二四分でスピナーの裂け目が金属疲労の限界に達し、一瞬にしてその三分の一が割れるようにちぎれ、吹き飛んだ。エンジンに吸い込まれた破片は高速回転しているファンブレードを砕き、ステーターベーンとの間に挟まって火花を散らした。ちぎれ飛んだブレードのかけらの一部は、遠心力によってエンジンカウルを突き抜け、キャビンの窓ガラスを貫いて天井の構造材に突き刺さった。

さらにエンジン内部に吸い込まれた破片は、圧縮ステージの低圧タービンブレードと高圧ブレードを瞬間的にバラバラにした。チタニウム合金とニッケル合金で構成されたブレードの破片は、音速に近いスピードでエンジンを貫通し、翼の下面と胴体に向かって、機関銃の弾丸のように降り注ぎ、そして命中した。

いくつかは、胴体下面にあるキャビンの気圧と気温をコントロールしている三台の与圧装置を直撃し、それらのうち二台は機能が停止した。残った一台も制御不能となり、機内に急減圧を発生させた。空気の流れが一瞬止まった二番エンジンは、内部温度が二五〇〇度を超え、一部が溶解し、爆発状態で火災が発生、キャビンからは白い火柱となって見えた。

すべては二秒以内に起きた。


以上がデジタル・フライト・データ・レコーダーの解析と、電子顕微鏡による金属破断面解析などの調査結果で判明したが、それは事故から三ヶ月が経《た》ってからのことだった。

鳥が当たっただけであの丈夫なスピナーが割れたことについて、中心部に酸による腐食のあったことが、残されたスピナーの破断部分から判明した。それが人工的なものかあるいは酸性雨などによる自然発生的なものか。部品の大部分が吹き飛んで日本海の底にばらまかれている今となっては、事実を確定できる者はいない。

文庫版あとがき

僕にとって思い出深いデビュー作『パイロット・イン・コマンド』がこのたび新潮文庫に収録された。

この作品を構想しはじめたのは、もう十年も前のことになる。

当時、僕は国際線・国内線に乗務するかたわら、操縦教官として実機訓練所のある沖縄県の下地《しもじ》島《しま》に滞在していた。海外のステイ先では江波のように時差のために寝つかれないこともあり、リンゴをかじりながら読めるエンターテインメントは必需品だった。一ヶ月近い下地島での生活では、訓練を受け勉強に追われるパイロット達とは対照的に、白い砂浜のアダンの木陰で本のページをめくるのが日課だった。だが、一冊読み終えるたびに日本には飛行機を扱った小説が少ない、という物足りない気持ちを味わうのだった。

ライン・パイロットの仕事を通じて感じていたことの一つに、今では身近な乗り物になっている飛行機のことが、一般にはよく知られていないというものがあった。機内の安全装備品の説明ビデオが始まると、新聞を開く音があちこちから聞こえてくるのも、航空業界に携わる者として、たいへん残念だった。

シートベルトの締め方や非常口を確認するだけで、命を守れることも多いことを知っていただきたい。座席前ポケットに入っている小冊子やビデオでは、面白みに欠けるのかもしれない。読後感の重すぎない航空小説はどうだろうかと書きはじめた。

お読みになって頂いた方はもうお気づきと思うが、この作品は'99年に発表したため、現状とは異なっている部分がある。

'01年の同時多発テロ以来、保安上の理由からコクピットの見学はできなくなった。また'02年、成田空港の二本目の滑走路が暫定《ざんてい》オープンしている。新滑走路には－４００が着陸できる長さはないが、小型機がパンクでクローズしたから羽田空港へ、ということもまずなくなったわけだ。羽田の滑走路も、厳密にいえば場所が少し変わっている。

しかし物語の基本部分、たとえばナビゲーションの方式やルート、ロンドンの風景などはほとんど変わっていない。文庫化のために再読したが、特に違和感はなかった。国際線の飛行方式や、パイロットを初めとする航空関係者の様子は充分に窺《うかが》えると思う。
処女作にはその作家のほとんどすべてが含まれる、と聞いたことがある。無我夢中で書いた『パイロット・イン・コマンド』は、僕のエンターテインメント航空小説の原点だし、手に取りやすい文庫に入ったことを、たいへん嬉《うれ》しく思っている。本書を読み終えた方が「プロの乗客」を目指して下さったら、これ以上の幸せはない。

二〇〇六年五月

内田幹樹

解説――日本航空小説史に輝く金字塔

村上貴史

■歴史

本書『パイロット・イン・コマンド』は、著者のデビュー作を文庫に収録したものである。

とまあ一行で書くことも可能なのだが、ここまで至るには、そんな一行にはとても収まらない〝歴史〟があるのだ。まずはそこを紹介するとしよう。

まず、この作品は一九九七年の第一四回サントリーミステリー大賞（主催は朝日放送、文藝春秋、サントリー）に応募された。作品執筆のきっかけは、全日空において国内線や国際線で機長を務めてきた著者が、教官として離島の訓練所に勤務していた際に、持ってきた本をすべて読み尽くしてしまったことだったという。「何もない場所で一か月過ごすことを考えた際、訓練生は全く時間のゆとりはないものの、教官はそうでもないため、では小説を書いてみるか」という運びになったのだそうだ。

そして、その「暇つぶし」に書き上げた作品は、サントリーミステリー大賞において優秀作品賞を獲得した。この優秀作品賞というのがクセ者で、最終選考に残った三作品のうち、選考委員が投票で選ぶ大賞にも、会場に招かれた約五〇人の読者が選ぶ読者賞にも選ばれなかった作品に与えられるという賞なのだ。この年は、大賞を三宅彰《みやけあきら》『風よ、撃て』が、そして読者賞を高尾佐介《さすけ》『アンデスの十字架』が獲得し、両作品は受賞と同年の一九九七年に文藝春秋から出版された。だが、優秀作品賞の『パイロット・イン・コマンド』は、その年、刊行されることはなかったのである。

ちなみに、このサントリーミステリー大賞の優秀作品賞（及びその前身である佳作）であるが、実は原石の宝庫なのである。本書の前年に獲得した作品が伊坂幸太郎『悪党たちが目にしみる』、本書の翌年に獲得したのが川端裕人《ひろと》『夏のロケット』であり、さらにさかのぼれば、一九九一年には横山秀夫《ひでお》『ルパンの消息』が獲得していたりするのだ。こうした優秀作品賞獲得作家たちの現在での大活躍ぶりについては、今更ここで当方が語る必要もあるまい。

そして『パイロット・イン・コマンド』である。この作品は結局、一九九九年になって原書房から刊行されることになった。著者の名前は、サントリーミステリー大賞応募当時のままの内田モトキ。そう、この文庫とは表記が異なるのだ。著者は『パイロット・イン・コマンド　新装版』（二〇〇五年・原書房）の「新装版のためのあとがき」において、「（初版の発表時は）名前の読みが難しいので、職務上の機長としてサインする時と同じ片仮名書きにした」と記している。その後、二〇〇一年に機長としての様々な体験や意見を記したエッセイ『機長からアナウンス』を本名で発表し、それがベストセラーになってしまったため、小説とエッセイで著者名の表記が異なるという状況が生じた。しかも、『機長からアナウンス』と続編の『機長からアナウンス第2便』以降に発表した小説もまた内田幹樹《もとき》との表記であったため、ますます混乱に拍車がかかったのである。そこで、『パイロット・イン・コマンド』の新装版刊行の段階で内田モトキ名義を内田幹樹に表記変更し、それがさらに改稿されて、今回の文庫収録に至ったのである。

　という按配《あんばい》で、とても一行には収まらない歴史の持ち主なのである……この文庫本は。

■飛行

　さて、その内田幹樹の処女作『パイロット・イン・コマンド』である。現在のものと較《くら》べてどの程度の完成度で賞に応募されたのかは不明だが、皆様が手にしているこの文庫版においては、まぎれもなく第一級の航空サスペンス小説だ。

ニッポン・インターナショナル・エア（NIA）二〇二便。同機は、コクピットにパイロット・イン・コマンド（フライトの総指揮を執る機長）である砧《きぬた》、彼が休息などで席を外す際に機長を務めるセカンド・イン・コマンドの朝霧、そして副操縦士の江波という三人を乗せ、さらに、客席には一一人のキャビン・アテンダント（CA、いわゆるスチュワーデス）と多数の乗客を乗せてロンドンのヒースロー空港から成田空港へ向けて飛び立った。その機体には、さらにいくつかのトラブルのタネも積み込まれていた。例えば、クレームをつけることを生き甲斐《がい》としているかのような札付きの問題客や、日本政府から逮捕状が出ている被疑者、その護送を担当する日本人刑事など。そして、そのフライトの過程で緊急事態が発生する。飛行機を支える四基のエンジンのうち一基が破裂して炎上、その衝撃で操縦士は二名とも意識不明に陥ってしまったのだ。さらに燃料漏れも発生し……。

この波瀾《はらん》万丈のフライトの模様を、内田幹樹は、実に鮮やかな筆捌《さば》きで描いている。江波やCA達の視点、さらには護送される途中の被疑者の視点など、様々な視点を駆使し、プロのパイロットならではのノウハウを作品にたっぷりと注入して、最終的に読者に与えるサスペンスを高めているのだ。しかもそうした様々な要素を一機の航空機の一回のフライトのなかに集約させているのである。そこがまず新人離れしている。

さらに特筆すべきは、機体にトラブルが発生してからの描写である。客席を中心とした機内がどのような状況に陥るかが克明に記されているのだ。そのなんとリアルで迫力に満ちていることか。

読みどころはここだけではない。そもそもプロローグからして素晴らしいのだ。ロンドンのヒースロー空港を夕方に出発し、北海に入り、スカンジナビアからロシアへと進むあいだに目にする景色といい、p13の高度一万メートル、外気温度がマイナス七〇度になろうとする頃に起きる宇宙と地上の接点の変化の光景といい、コクピットからの眺めを知り尽くした者にしか出来ない描写が連続するのである。

しかも、そうした抜群のサスペンスや美しい光景描写だけにとどまらず、そこに、後段で登場する意外なリリーフ陣（誰がリリーフかはここでは書かないでおこう）がもたらす暖かみや、やむなく操縦桿《かん》を握ることとなった江波の動揺（己の判断ミスがそれを増幅させるあたりの演出は実に心憎い）という人間くささも加わってくるのである。その上で、航空業界の知識を駆使した著者ならではの密輸劇などという要素も含まれており、まったくもってとことん読者を満足させる出来映えといえよう。

さて、内田幹樹は、本書に続いて『機体消失　タイフーン・トラップ　ＰＩＬＯＴ

ＩＮ　ＣＯＭＭＡＮＤ　Ⅱ』を二〇〇〇年に内田モトキ名義で刊行している（二〇〇五年に内田幹樹名義で『機体消失　ＰＩＬＯＴ　ＩＮ　ＣＯＭＭＡＮＤ　Ⅱ』として再刊）。この『機体消失』は、台風や竜巻に襲われた沖縄の宮古諸島を舞台に、一〇〇億円近い密輸品を積んだ小型飛行機が行方不明になるという事件と、それに関連して発生するハイジャックを描いた一冊である。作品の前半は、意外と思われるかも知れないが、空ではなく海を主な舞台として展開される。実は、内田幹樹の趣味というダイビングが十二分に活《い》かされているのだ。しかも舞台となっている下地《しもじ》島《しま》は、著者がかつて一ヶ月の暇をもてあまして『パイロット・イン・コマンド』を執筆した土地でもある。こうした点で、まさしく内田幹樹の小説と呼ぶべき『機体消失』だが、主人公は本書にも登場したある男性である。また、別の登場人物（ＣＡだ）も実に意外なかたちで『機体消失』に現れているので、是非とも御一読いただきたい。ストーリーとしては独立しているが、人間関係としては密な連続性を持っていることを御確認いただけるだろう（しかも、内田幹樹の描写力が飛行機だけに限定されたものではないことにも気付くはずだ）。

二〇〇二年に刊行された小説第三作『操縦不能　ＰＩＬＯＴ　ＩＮ　ＣＯＭＭＡＮＤ　Ⅲ』（原書房→新潮文庫）は、北朝鮮からの亡命者を乗せた成田発ワシントン行きの〇〇二便が、速度と高度を示す計器に異常が発生し、操縦不能となり、しかも機長たちが原因不明の体調不良に陥るという緊急事態を描いた作品だが、ここでもやはり『パイロット・イン・コマンド』『機体消失』からの人間関係は継続している。ちなみに、『操縦不能』では、本書でトップスリーにはいるほど印象深いキャラクターの川口氏の再登場も愉《たの》しめるのでご注目を。

また、機長が成田からニューヨークへのフライトを通じて、その技量および機長としての適格性をチェックされる模様を描いた二〇〇五年の第四作『査察機長』は、それまでの三作との関連性は薄いものの、それでもなおかつ『パイロット・イン・コマンド』等に登場した存在感あふれるキャラクターが噂《うわさ》というかたちで登場している。

という具合に、本書は日本航空小説史に輝く金字塔であると同時に、内田幹樹のすべての小説群――ＮＩＡサーガとここでは呼びたい――の第一幕としての意味も持っているのである。

■プロ

それにしても、本書及び他の内田幹樹作品を読めば読むほど、プロの仕事ということを痛感させられる。それこそ、医師の資格を持つロビン・クックが描く医学界を舞台にしたエンターテインメント（『コーマ　昏睡《こんすい》』など）や、元都市銀行の行員であった池井戸潤《いけいどじゅん》が金融の世界を舞台に描くエンターテインメント（江戸川乱歩賞受賞作『果つる底なき』他）、あるいは弁護士である中嶋博行《なかじまひろゆき》が描く法曹エンターテインメント（これまた江戸川乱歩賞受賞作『検察捜査』他）などのように、内田幹樹は、エアラインに関する専門知識を、実に鮮やかに作家として活かしているのである。前述の作家たちと同様、専門用語や専門知識の羅列によって自己PRしようというのではなく、専門家ならではの物の見方、考え方をエンターテインメントのプロットと融合させることにより、読者を愉しませているのだ。そしてその作品は、結果的に専門家としての優れた能力を示す内容ともなっており、全体として実に強烈にプロらしさを感じさせるのである。

内田幹樹の場合、そうした専門を活かした執筆の理由に、さらにもう一つ深い想《おも》いが込められている。航空機に乗った際に、乗客は緊急着陸時の姿勢や事故機からの脱出の方法などを教えられるし、前の座席の背に収められた小冊子にも、それが記されている。だが、それらを真面目《まじめ》に学ばない者が実に多いというのだ。そして、学んだ者とそうでない者のあいだには、調査の結果、生存率に明らかな違いが出ているという。その生存率を向上させる一助となれば、という想いを込めて、内田幹樹は本書を書いたのである。

　これはまさに大勢の命を預かって飛行機を飛ばしてきた機長ならではの真摯《しんし》な想いである。それを知ると、ストーリーの流れに身を委《ゆだ》ね、スリリングな展開に手に汗握るという読書行為が、そのまま緊急時に自分がとるべき行動の学習になっているということに気付く。さすがに長い間教官としてパイロットを養成してきただけのことはある。実に素敵な教材だといえよう。

　ちなみに、こうした教材としての気持ちがどれだけ込められているかはさておき、航空小説には、このNIAサーガを含め、魅力的な作品が数多い。そのあたりは、一九六〇年代のギャビン・ライアル『ちがった空』やジョン・ボール『航空救難隊』にはじまり、福本和也《かずや》、鳴海章《なるみしよう》らを経てJ・J・ナンスに至るまでを俯瞰《ふかん》して述べた『操縦不能』新潮文庫版の香山二三郎《かやまふみろう》の解説に詳しいのでそちらを参照されたい。

＊

　さて、近年航空会社を定年退職した内田幹樹。

　現在の彼は、機長という職業を離れ、作家という新たな翼を備えた存在となっている。その翼を大いにはためかせ、今後も高く遠くへと飛翔《ひしょう》していくことを期待する次第である。

（二〇〇六年六月、ミステリ評論家）

この作品は一九九九年三月原書房より刊行された。
文庫化に際し、全面的な改訂を行なった。

内田幹樹著
操縦不能

高度も速度も分からない！　万策尽きて墜落を待つばかりのジャンボ機を、地上でシミュレーターを操る、元訓練生・岡本望美が救う。

内田幹樹著
機長からアナウンス

旅客機パイロットって、いつでもかっこいいの？　離着陸の不安から世間話のネタ、給料まで、元機長が本音で語るエピソード集。

内田幹樹著
機長からアナウンス　第2便

エンジン停止、あわや胴体着陸、こわい落雷……アクシデントのウラ側を大公開。あのベストセラー・エッセイの続編が登場です！

石田衣良著
4TEEN【フォーティーン】

ぼくらはきっと空だって飛べる！　月島の街で成長する14歳の中学生4人組の、爽快でちょっと切ない青春ストーリー。直木賞受賞作。

小川洋子著
博士の愛した数式

80分しか記憶が続かない数学者と、家政婦とその息子――第1回本屋大賞に輝く、あまりに切なく暖かい奇跡の物語。待望の文庫化！

恩田陸著
ライオンハート

17世紀のロンドン、19世紀のシェルブール、20世紀のパナマ、フロリダ……。時空を越えて邂逅する男と女。異色のラブストーリー。

大沢在昌著　**らんぼう**

検挙率トップも被疑者受傷率120％。こんな刑事にはゼッタイ捕まりたくない！　キレやすく凶暴な史上最悪コンビが暴走する10篇。

北方謙三著　**風樹の剣**
—日向景一郎シリーズⅠ—

「父を斬れ」。祖父の遺言を胸に旅立った青年はやがて獣性を増し、必殺剣法を体得する。剣豪の血塗られた生を描くシリーズ第一弾。

北森　鴻著　**凶笑面**
—蓮丈那智フィールドファイルⅠ—

封じられた怨念は、新たな血を求め甦る——。異端の民俗学者・蓮丈那智の赴く所、怪奇な事件が起こる。本邦初、民俗学ミステリー。

黒川博行著　**疫病神**

建設コンサルタントと現役ヤクザが、産廃処理場の巨大な利権をめぐる闇の構図に挑んだ。欲望と暴力の世界を描き切る圧倒的長編！

佐々木　譲著　**ベルリン飛行指令**

開戦前夜の一九四〇年、三国同盟を楯に取り、新戦闘機の機体移送を求めるドイツ。厳重な包囲網の下、飛べ、零戦。ベルリンを目指せ！

志水辰夫著　**きのうの空**
柴田錬三郎賞受賞

家族は重かった。でも、支えだった——。あの頃のわたしが甦る。名匠が自らの生を注ぎこみ磨きあげた、十色の珠玉。十色の切なさ。

岩中祥史著
博多学
「転勤したい街」全国第一位の都市――博多。独特の屋台文化、美味しい郷土料理、そして商売成功のツボ……博多の魅力を徹底解剖！

今尾恵介著
地図を探偵する
新旧2種類の地図を見比べ、旧街道や廃線跡を歩く。世界中の鉄道記号を比較する――。地味に見える地形図を、自分流に愉しむ方法。

太田和彦著
ニッポン居酒屋放浪記 立志篇
日本中の居酒屋を飲み歩くという志を立て、東へ西へ。各地でめぐりあった酒・肴・人の醍醐味を語り尽くした、極上の居酒屋探訪記。

奥谷禮子著
日航スチュワーデス 魅力の礼儀作法
好印象を与える女性の条件とは？　仕事のできるOLは、どこが魅力的なのでしょう？ステキな社会人になるためのパスポート。

北尾トロ著
危ないお仕事！
超能力開発セミナー講師、スレスレ主婦モデル、アジアの日本人カモリ屋。知られざる、闇のプロの実態がはじめて明かされる！

酒井順子著
観光の哀しみ
どうして私はこんな場所まで来ちゃったの……。楽しいはずの旅行につきまとうビミョーな寂寥感。100％脱力させるエッセイ。

パイロット・イン・コマンド

新潮文庫　う－15－4

平成十八年九月一日発行

著者　内《うち》田《だ》幹《もと》樹《き》

発行者　佐藤隆信

発行所　株式会社新潮社

郵便番号　一六二―八七一一
東京都新宿区矢来町七一
電話 編集部(〇三)三二六六―五四四〇
読者係(〇三)三二六六―五一一一
http://www.shinchosha.co.jp

価格はカバーに表示してあります。

乱丁・落丁本は、ご面倒ですが小社読者係宛ご送付ください。送料小社負担にてお取替えいたします。

印刷・二光印刷株式会社　製本・株式会社植木製本所

ISBN4-10-116044-9 C0193